석용산스님 에세이

여보게, 저승갈 때 뭘 가지고 가지

고려원

「수행자는 잡기를 하지 마라.」
　몇 권의 책을 내면서 선현들의 말씀이 한 마디도 그르지 않음을 새
삼 느끼게 한다. 불심을 가지고 하는 일들이 그대로 불공이요. 수행
임을 믿고 있으나 확철대오하지 못한 나와 같은 사람들에게는 위의
말씀을 되새기게 할 필요가 있을 것 같다.

　　대 자유인이 되겠다고
　　속가 부모 형제를 버렸다.
　　승가의 사형 사제 스승마저 버렸다.
　　부처마저 버리고 나니……
　　모두 본래 제자리에 있었다.

　　부처님의 은혜였다.
　　스승들의 은혜였다.
　　도반들의 은혜였고
　　속가 부모 형제들의 은혜였다.

인연 닿은 모든 이의 은혜였다.

세상이 미우면 미운 대로 살고
고우면 고운 대로
외로우면 외로운 대로
아프면 아픈 대로 살리라.

이번에 내는 책이나, 앞에 펴낸 몇 권의 시집이 시나 수필을 만들
겠다고 쓴 것이 아니라, 법열을 이기지 못해 춤을 추며 불렀던 노래
들, 수행 속에 스며드는 마장이 너무 고통스러워 불렀던 노래들을 나
보다 어리고 여린 이들에게 들려 주고 싶어 글로 옮기다 보니 시가
되고 수필이 되었다.
사바(娑婆)라는 이름의 배를 탄 이웃들과 같은 인간으로 태어난
외로움을 나누고 싶었다. 어설픈 글들 속에 부처님 향훈이 조금이라
도 묻어 있길 기원할 뿐이다.

저자 석용산

차례

차례

차례

차례

차례

1

어느 스님의 참회 · I

큰스님 되시게!

큰스님 되시게!

큰스님 되라는 유언을 남기시고 그래도 맺힌 한이 앙금으로 남아 눈을 감지 못하시고 돌아가신 어머니!

유골을 바로 강물에 띄우지 못하고 일 년이 지나도록 모시고 있다가 그래도 안타까워 작은 유택을 마련해 드린 행위는, 승려이기 전 불효했던 한 자식의 몸부림이리라.

작은 땅 덩어리! 무엇 때문에 묘지를 써야 하느냐고, 화장해서 맑은 강물에 띄워야 한다고 주장해 왔던 자신이 아니었던가! 막상 어머님 상을 당하고 보니 그 선인들의 예절이 한갓 형식에 그침이 아니요, 자손의 뼈아픈 통한의 몸부림임을 알게 되는 것은 이제 철이 들어 감인가……

청상과부되어 오로지 삶의 희망으로 길러온 자식이 한 조각 편지만 남기고 어느 날 홀쩍 산으로 떠나 버린 일이 가슴앓이로 고질되고, 이제나 저제나 돌아와 주길 바라며 기다렸던 십여 년의 깊은 한이 앙금되어 알코올과 약물로 사실 수밖에 없었던 어머니! 결국 환갑도 사시지 못한 어머님의 유골 앞에 통곡하지 않을 수 없었던 어설픈 승려의 모습을, 어떻게 설명할 수 있을까?

생각 굽이굽이에 어머님께 죄송스러운 마음 어찌할 수 없는 것은, 내 아직 올바른 승려가 되지 못한 탓이 아닐런가! 토요일에 장례를 치르고 일요일에 법상에 서 있던 자신, 어쩔 수 없는 스님이었기 때문일까?

이런 시간이면 생사(生死)를 초월한 거룩한 스님이 아닌, 불효했던 마음을 참회하며 아파하는 인간이 되고 싶다.

울고 웃는 것이 둘이 아니고, 행과 불행이 두 마음 아니라고 설법하는 법상의 스님이 아닌, 마음 아파 실컷 울어 보는 중생이고 싶다.

모두가 잠든 이런 시간엔 묘한 신비에 젖어든다. 잊혀진 추억도 싹 틔우고, 굳어진 마음에 염치도 살아나게 하며, 참회할 줄 모르는 마음에 참회의 눈물도 맺게 한다. 미워한 마음, 사랑한 마음, 억눌렀던 마음들마저, 자비의 가슴으로 살아나 사람되게 하는……

겹겹이 치장한 옷들을 훌훌 벗고 돌아가신 어머니를 그리워하는 자식이 되기도 한다. 그리고 어머님 영전에 두 손 모아 기도한다. 도(道)통한 스님보단 참회하며 살아 가는 스님이 되겠다고……

커다란 절을 지닌 스님보다는, 저자거리를 떠돌며 이웃들과 아픔도 기쁨도 함께 나누는, 절 없는 스님이 되겠다고……

어느 스님의 참회 · 2

삶의 노정, 끝간 데 없이 긴 여로!

때로는 벗어나고자 몸부림치지만, 이 길이 내 삶인 것을 하며 가슴 재우기 여러 번 누가 씌워 놓은 너울도 아닌데, 스스로 얽혀 괴로워 하는 우리들의 모습, 그것은 수백 생을 익혀온 숙업이리라!

대자유인이 되겠다고, 대해탈인이 되겠다고, 사랑하는 이들의 가 슴에 커다란 못 하나씩 박아 놓고 떠나온 세월이 이제 강산이 바뀌고 도 남았건만, 스님이란 또 하나의 굴레 속에 어느 것이 진정 이 시대 중생들을 위한 스님의 모습이 되는지도 모르며 이렇게 가고 있으니 …… 전생의 업이 지중한 때문이리라!

오늘 이 시간 법을 설하는 스님이 아닌 참회하며 고뇌하는 수행자 의 모습이고 싶다.

종가의 종손으로 조상님들께 무릎 꿇는 자손이고 싶다.

한 집안 장남으로 자식도리 못 한 송구함을 참회하는 자식이고 싶 다. 어머니, 할머니, 증조할머니 세 분 청상과부들. 그들의 희망이었 고 보람이었던 이 사람, 저 하고픈 대로 하겠다고 출가해 버린 불효 를 용서 빌고 싶다.

이 모든 인연에 용서받을 수 있는 길이 있다면 그것은 스님다운 스님, 스승다운 스승이 되는 길이건만 아직도 스승의 모습 지니지 못하였으니 속가(俗家)와 불가(佛家) 양가에 득죄하고 있음이리라.

그러나 다행히도 전생의 복연이 남아 있었던지 자신을 바로 볼 수 있는 인연을 만나게 되니 이 시간 그 인연의 이야기를 적고자 한다.

대전 어느 교사들의 모임에서 법문을 하고, 늦은 시간 대구역에 도착했다. 훌륭한 법문을 설했다고 만족한 미소를 지으며 택시를 기다리는데, 살며시 팔장을 끼는 손이 있었다.

「스님, 쉬었다 가세요. 잘해 드릴께요.」

선뜻 거리의 여인임을 느낄 수 있었다. 역겨운 감정이 솟아, 팔을 뿌리치려고 손을 빼는 순간, 그녀의 모습에, 외롭게 사는 누이의 모습이 겹쳐 보였다. 뿌리치려던 손을 내리고, 설명할 수 없는 감정에 엉거주춤 끌려 가고 있었다. 중생의 아픔을 넓은 가슴으로, 묻어 줄 수 있는 스님의 모습도 아니고, 껄껄 웃으며 등을 한 번 어루 만져 줄, 큰 가슴의 사내도 아니었으니……

그저 자기방어에 전전긍긍하는, 못난 사내의 모습이었다. 아픈 중생과 하나 될 수 없는 스님이라면, 도를 통해 무엇을 한단 말인가?

초라한, 참으로 초라한 자신을 발견한 또 다른 자신은 커다란 나락으로 떨어지고 있었다.

「스님, 잘해 드릴께요.」

침묵을 깬 그녀의 말.

그 말이 왜 그리도 서럽게 들렸던지. 팔짱 낀 그녀의 손을 꼬옥 잡으며 말했다.

「처녀, 큰스님 되면 올께. 꼭 큰스님 되어 올께.」

무슨 뜻인지도 모르며, 너무 진지한 나의 모습에 두 손 풀어 가슴에 모으고 물끄러미 바라보던 그녀의 눈망울은, 지금도 수행의 채찍이 되고 있다.

만 남

만남!

어렸을 적엔 설레임의 단어였다. 점점 커 갈수록 두려움의 단어로 변해 갔다. 부처님을 만나지 못하였다면, 영원히 두려움의 단어로 기억될 뻔 했던 만남! 싫던 좋던 우리는 하루에도 많은 사람과 만나고 많은 얼굴들과 만나, 많은 인연들을 맺고 또 풀어 간다.

원수진 인연의 만남이라도 내 마음 열고 닫기에 따라 악연을 선연으로 아픈 인연을 축복의 인연으로 바꿀 수 있는 묘한 작용이, 마음에는 서려 있다.

만남이 두려웠던 젊은 날, 갈등의 시절 조그마한 책자를 만나게 되었다. 《반야심경》이란 책자와의 만남이 바늘구멍보다 작은 마음을 우주라도 감쌀 수 있는 신묘한 마음으로 바꾸는 인연이 되고 만 것이다.

전생에 빚진 인연이라면 다 갚고 싶다. 미운 인연이라면 사랑으로 갚고 싶다. 중상모략의 인연이라면, 화합과 이해로 갚고 싶다. 내 전생의 빚진 인연 갚을 수 있도록 사람몸 받았으니, 정성 다하여 주고 갚으리라.

이런 밤이면 잠 못 이뤄 뒤척일 영혼들, 꼬옥 감싸 주고픈 마음이 인다. 그리고 감사한다, 부처님께!

인연의 도리 인과의 도리를 알게 하셔 어제를 믿듯 전생을 믿고, 오늘 있음을 느끼듯 금생 삶을 사랑하며, 내일 아침을 기다리듯 내생을 설계해 볼 수 있는 그 마음 알게 하신 부처님께 표현할 수 없는 믿음과 외경을 올린다.

부모와 자식 간의 인연은 참으로 지중한 인연이지만 전생에 빚진 인연이니 서로 갚아 주어야 할 것이며, 고부간의 인연은 전생의 씨앗 인연이니 서로 화합해야 할 것이다. 그리고 형제간의 인연은 전생 경쟁의 인연이니 양보해야 할 것이다.

한 젊은 부부가 서로 사랑하며 오손도손 살다가 예쁜 딸을 낳았다. 돌이 지나서 말을 배우게 될 때, 엄마는 아기를 어르며 물었다.

「예쁜 것아! 너는 전생에 무슨 인연 있어서 나의 딸이 되었니?」

엄마의 물음에 아기는 놀랍게도 또렷또렷 대답을 했다.

「저는 전생에 엄마의 계집종이었는데, 심부름 시킬 때마다 심부름 값 주신다 하시고 주시지 않아 그것이 업이 되어 돈 받으러 나왔지요.」

깜짝 놀란 엄마는 장난 반 의혹 반으로, 돈 두 푼을 아기 이마에 올려 놓으니 아기는 그 길로 죽고 말았다.

우화같이 들릴지 모를 이야기지만, 언제 어디서 어떤 모습으로 만날지 모르는 우리들, 마음의 문을 열고 가슴으로 만날 수 있는 시간이 되길 합장 기원해 본다.

윤회의 노래

　다음의 어느 시인의 노래를 통해, 아픈 오늘이 더 성숙된 내일로, 아쉬운 이 생의 삶이 더 영근 내생(來生)의 삶으로 연결되어, 영원히 살아 갈 수 있는 우리들의 모습을 그려 보는 시간이 되었으면 한다.

　난 불교 신자가 아니라 기독교 신자임에도, 윤회설을 믿고 싶어지는 것은 어쩔 수 없다.
　구스타프 융의 말대로, 우리네 조상들이 믿었던 신앙이 윤회에 대한 「집단 무의식」으로 나에게까지 유전된 것 같다.
　나도 모르는 사이, 윤회의 빛깔이 스며든 몇 편의 시를 쓰고 말았으니 말이다.
　나는 죽음도 삶의 한 부분이라고 믿고 싶다. 그래서 죽는다는 것은 끝이 아니며, 새로운 삶의 시작이며 우리가 아는 삶보다 훨씬 더, 고귀한 삶을 이어서 사는 것이라고 믿고 싶다.
　휴가 때가 되면 자주 산사(山寺)를 찾으면서도, 때로 독경소리 그윽한 절에 가고 싶은 마음을 숨길 수 없다.
　자그마한 산사, 정갈한 마당에 희다 못해 옥빛 나는 하얀 고무신을 신은 스님네들의 모습을 멀리서 바라보고 싶다. 청태낀 기와골에 내려앉은 밝고 잔잔한 햇살에서, 부처님의 자비로운 미소를 느껴보고 싶다.

그리고 몸과 마음의 먼지를 훌훌 털어 버리고, 다시금 일상으로 돌아와서, 따스한 미소로 사람들과 어울려 살고 싶다. 작은 일에 성실하며 욕심없이 살다가, 조용히 죽어 풀섶에 홀로 핀 들국화로 환생하고 싶다.

시인의 노래는 여기서 끝이 난다.

참으로 소박하고 아름다운 소망이 담긴 노래이다.

아픈 현실을 아름답게 엮어 갈 수 있는 마음들!

이 마음들이 바로 유한한 삶을, 영원으로 이어 갈 수 있는 길이 되는 것이리라.

삶 속에 묻어 날 수밖에 없는 아픔들, 그 아픔의 순간들을 지혜와 믿음으로 엮어 갈 수 있을 때, 우리의 소망들은 꿈이 아닌, 진실된 신앙으로 피어나게 되고.

낡은 몸 버리고 새 몸으로 다시 이어져, 우리의 영혼과 소망은 그렇게 살아나게 되는 것이다.

내일을 위한 삶! 그것은 바로 오늘의 삶인 것이다. 보다 나은 내일을 위해 살고자 하는 사람들에게, 종교와 이념을 초월해서 한 번쯤은 윤회의 모습을 그려 보는 시간들이 되었으면 한다.

황희 정승의 엉터리 재판

황희는 고려 말 조선 초의 문신으로, 육조 판서를 두루 거치며, 이조 역사상 가장 오랫동안 정승 자리에 있었던 사람이다.

이씨 조선의 개국공신도 아닌 그가, 바람 많은 정승자리에 18년을 재임할 수 있었던 것은 남다른 부분이 있었기 때문이다.

어려운 시대 상황에서 자신의 위치를 제대로 지킬 수 있었던 그의 편린 속에서, 우리들이 서 있는 지금의 자리를 조명해 보았으면 한다.

어느 날 계집종과 사내종이 다툼을 하다, 황희에게 옳고 그름을 판단해 줄 것을 청하게 된다.

먼저 계집종의 하소를 듣고 난 황희 정승은 「네 말이 옳구나 옳다」라고 얘기했다. 그런데 곧이어 사내종의 하소를 듣고 나서도 똑같은 대답을 하는 것이었다.

방 안에서 그 판결을 듣고 있던 부인이 하도 기가 막혀, 「이쪽이면 이쪽이고, 저쪽이면 저쪽이지, 어찌하여 이쪽도 옳고 저쪽도 옳으냐?」는 질문에 「당신 말도 옳소」 했다는 그의 엉터리 재판이, 그가

18년 정승 자리를 지켜 나갈 수 있었던 지혜였으며 중도의 삶을 살아가는 대범한 모습이었을 것이다. 흑백 논리에 빠져 있는 이 시대 후손들이 한 번쯤 음미해 볼 엉터리 재판이 아닐까?

네것이 아니면 내것, 네편이 아니면 내편, 내것이 아니면 부수어 버리고 내편이 아니면 잘라 버리는 비정한 현실 속에, 네것이 내것일 수도 있고 내것이 네것일 수도 있다는 이치는, 내편이 네편일 수도 있고 네편이 내편일 수도 있다는 중도의 도리이니, 그 도리를 깨쳐 삶 속에 실천할 수 있었던 황희의 처세와 인품은 시대를 초월하여 많은 것을 생각케 하여 준다.

부처님께서는 「선에도 매달리지 말고 악에도 매달리지 말라」고 가르치신다. 선에 치우치면 선의 노예요, 악에 치우치면 악의 노예니, 선악을 포용하면서도 선악에 매달리지 않는 삶을 살아라 하셨으니, 바로 중도의 도리인 것이다. 선도 포용하고 악도 포용하면서 선악을 초월한 삶! 이것도 저것도 아닌 분명치 않은 삶이 아니라, 최선을 다했을 때 얻어지는 삶! 이 눈치 저 눈치 보면서 아슬아슬 그네를 타는 삶이 아닌, 목숨을 다 바친 삶! 그 속에서 얻어지는 삶이 바로 중도의 삶이요, 우리가 살아야 할 삶이 아닐까?

고 향

  자운영, 씀바귀, 칡뿌리 등 토끼풀 먹이땜에 밭도랑 눈두렁 많이도
헤맸지.

  떠나온 지 삼십여 년, 아직도 눈에 선한데 귓가 머린 히끗히끗…
….

  주책없이 눈가에 이슬 젖어.

  여보게! 주책이라 나무라지 말고, 철이 드는 것이라고 곱게 보아
주게나.

  사실 입산승려는 속진의 때를 씻고 다시 태어나기 위해, 속가의 모
든 인연을 끊고 사회에서 익혔던 생각이나 습성마저도 몽땅 벗어 버
리는 공부를 한다네.

  삭발염의하고 계를 받을 땐, 성씨와 이름마저도 바꾸어 버린다네.
나 역시 김 아무개가, 석가모니 부처님의 석씨를 따르고, 이름을 용
산이라 해서 석용산으로 다시 태어나게 된 것이지.

  입문한 지 얼마 안 되는 사미승 시절에는, 잠깐의 집 생각마저도
죄스러워 백팔 참회로 무릎이 벗겨지곤 하였다네.

  수행따라 얄팍한 알음알이 생각들이 비늘처럼 떨어져 나가고.

애착을 끊으려는 몸부림도, 속가와 승가를 분별함도 모두 망상 분별의 끄달림임을 알게 되었지. 산은 그대로 산이요 물은 그대로 물이고, 속이 승이요 승이 속임을 깨달아 생활에 녹여 쓰기까진, 많은 아픈 시간들이 흘러갔지.

여보게!

얼마 전 고향엘 다녀왔다네.

조상님 묘소 앞에 종손노릇 못 한 송구함으로, 고개 들지 못하고 옷깃 여미는데, 어디서 불어왔는지 한 줄기 따뜻한 바람이 내 등을 다독였지. 분향 배례하고, 중노릇 잘하여 양가(속가와 승가)에 득죄하지 않겠노라 다짐도 드렸다네. 다니던 국민학교도 들러 보았지. 우리들을 가르치시던 선생님은 한 분도 안 계셨어. 뛰놀던 운동장엔 자욱자욱 그리움 밟히고, 추억들만 묻어 났지. 파아란 하늘엔 세월 넘어 가 버린 그리운 님들로 가득했다네.

용서하이! 스님답지 않은 얘길 해서……!

송광사 나들이

　　몇 일 전 삼보 사찰 중 열여섯 명의 국사를 배출한, 승보사찰인 순천 송광사를 다녀 왔다. 아파트 숲속에 살아야 하는 사람들이나 도심 포교승에게, 고찰 순례는 언제나 고향 나들이 같은 설레임일 수밖에 없다. 태풍이 할퀴고 간 상혼들이 군데군데 마음을 아프게 했지만, 달리는 차창에 몰려 드는 산모양 들모양에 이내 취하고 말았다. 모진 폭풍우 속에서도 살아난 생명들! 그 소리 없는 함성이 가슴에 너울대는 듯한 신비한 들빛! 그 출렁임……산빛 역시 단풍나무 잎새 끝에 익어 가고 있었다. 불그스레 흔들리며…….

　　다섯 시간 동안 지루한 줄 모르고, 굽이굽이 들길 산길 돌아 송광사에 도착했다.

　　마음 자락에 꽃이 피면, 어느 것인들 아름답지 않으랴마는…….

　　송광사 하늘에 떠 있는 가을빛 구름은, 십육국사의 넋인 양 한가롭고 품위 있었다. 산허리 감돌아 천황문 앞을 지나는 물그림자에, 국사들의 푸르름과 따스함이 함께 떠 가고, 보조국사의 나무 그림자 하얗게 일렁이었다.

내가 이 땅을 떠나는 날
내가 심은 저 나무도 죽을 것이고
내가 이 땅에 다시 오는 날
저 나무에도 다시 물이 오르리니
잎이 피고 꽃이 오거든
내 이곳에 다시 온 줄 알아라

　천년 세월이 흘렀건만, 더 썩지도 쓰러지지도 않고, 천년 전 약속을 기다리며 서 있는 하얀 나목!
　어떻게 설명할 수 있을까?
　대웅전을 비롯 삼십여 채의 전각이 모두 소실되는 화재 속에서도 댓돌 하나 그을리지 않았다는, 국사님들의 위패 모신 국사전! 아직도 그 푸른 혼이 기왓골에 흐름을 느끼며, 국가의 어른이요 삶의 지주였던 그분들이 이땅에 다시 오길 합장 기원해 보기도 했다.
　가을의 문턱에 서서, 몸은 떠나지 못하여도 정신은 자유롭고 아름다운 나들이를 할 수 있었으면……

땅과 하늘

삼만칠천 피트 상공.

위잉 위-잉-. 꿈결 같은 소리만 이어지고, 은빛 날개 아래 적막과 정적……땅에서 느낄 수 없는 또 다른 선정의 세계. 지지고 볶고 싸우는 땅놀이, 갑자기 그리워지는 것은 요상한 중생의 마음. 평생 연애편지 한 장 써 보지 못한 못난이 승려! 땅에 사는 다섯 살짜리 애인에게 연서를 쓰네.

> 하늘나라
> 비행기 날개 아래
> 한 줌 하얀 사랑 떠 있고
> 아득히 깊은 곳엔
> 온통 파아란 그리움 깔려 있네
> 스님 옥빛 고무신 닮은
> 구름 한 닢
> 고이 접어 보내마

그리고 방울아!

하늘 와 보니 억만 금의 땅덩이들, 한 점 눈물 방울만도 못하구나. 부디, 땅뺏기 놀이하며 싸우지 말고 욕심부리지 말려무나.

그리고 또, 이 비행기 빠르기가 눈 깜짝 할 사이 너의 집 오십 바퀴 반은 더 돌 수 있는데도 영 가는 것 같지 않으니, 네가 남보다 느리다고 기죽을 것 하나 없데이! 또 하늘에서 내려다보니 늙고 젊고, 크고 작고, 네것 내것, 가난하고 부자고 그런 것도 전혀 안 보이니, 너와 내가 사랑하는 거 뭐, 얘깃거리나 되겠니.

그리고 방울아!

하늘에 천당과 지옥이 있다며 여기 저기 찾느라고 야단들인데, 아무리 둘러 봐도 그런 거는 없더라. 이 사실 너만 알그레이, 알았지……. 네 친구들한테 얘기하면 큰일난다.

그런데 방울아! 스님은 보았단다. 지옥과 천당을! 잘 가던 비행기가 갑자기 덜덜 떨고, 찻잔이 날아가는, 예쁜 스튜어디스 얼굴이 파래지더니 하얘지구…… 제트기류 만났으니, 안전벨트 매고 침착하라는 방송이 나오구. 머리 위 짐들은 서커슬 하며, 비명소린 하늘을 째는데, 정말 지옥 같더라. 조금 지나니 다시 평정의 꽃 피어 나고, 웃음의 꽃비 오는데, 금세 또 천당 같더라.

방울아! 행복도 사랑도 천당도 지옥도 다, 네 쬐그만 그 가슴속에 있다는 것 알았으면 좋겠구나.

여보게, 저승갈 때 뭘 가지고 가지

《금강경》에 「범소유상 개시허망 약견제상비상 즉견여래(凡所有相皆是虛妄 若見諸相非相 即見如來)」라는 시구가 있다. 무릇 모양 있는 모든 것은, 언젠가는 부서지고 마는 헛된 것이니, 그 모양이 영원하지 않은 이치를 알면, 부처의 세계를 보게 된다는 말이다.

영원히 살 것처럼 쌓고 뺏고 모으며, 탐착하는 우리들에게 그러한 삶이 덧없음을 일깨우고, 허상에 끄달리지 않는 인생을 살게 하려는 금구의 말씀이다.

나이 들수록 새겨 보며, 내 욕심스런 사고들을 헹궈 내는, 샘물 같은 말씀이기도 하다. 진정 영원한 모습이 있을 리 없다.

지금 숨을 쉬고 있는 사람들 중, 백년 뒤 이 땅에 남아 노래 부를 이 몇이나 될까? 눈가에 지는 세월의 흔적을 거울 속에 들여다보면서도, 나는 늙지 않을 거라고 꿈을 꾸는 우리!

그러나 분명 깨야할 꿈인 것을…….

늙고 병들고 죽어가는 모습을 바로보고 긍정할 수 있을 때, 우린 좀더 진실된 삶을 살다 가지 않을까?

숱한 아픔과 갈등. 사랑과 미움을 세월 너머 보내면서 배운 게 있다면, 앞에 놓인 실존마저도 허상이요 한판 꿈이라는 것! 그 사실을 철저하게 인정할 수 있는 용기가 생길 때, 현실의 허상들마저도 끄달림없이 사랑할 수 있는, 참된 가슴이 열리더라는 것!

현실 부정의 논리가 아니라 현실을 바로 보므로, 무상하고 허망한 것들에 매달리지 않고, 좀더 자유롭고 여유 있게 살아 가게 되는 것이 아닐런지…….

여보게 도우(道友), 저승갈 때 뭘 가지고 가지?

솔바람 한 줌 집어 가렴!

농담말구!

그럼 댓그늘 한 자락 묻혀 가렴!

안그럼,

풍경 소릴 듣고 가던지……!

따지고 보면 나도 공범자

거리마다 남의 말 좋게 하자는 현수막이 걸려 있다. 그러자는 마음씨는 한없이 고맙고 예쁘게 느껴지지만, 웬지 슬퍼지는 것은 승려이기 때문일까?

남을 헐뜯고 비방하며 중상모략하는 사람들이, 얼마나 많이 사는 곳이기에, 저리도 곳곳마다 남의 말 좋게 하자고 호소하고 있는 것일까?

언제부터 익혀온 습업(習業)들일까? 사색당파의 우리네 조상 얘기는 덮어 두더라도, 작금의 모습들은 종교인으로, 한 성직자로, 부끄럽고 가슴 아픈 책임을 느끼게 한다.

중상모략의 도를 넘어, 일어나는 모든 전쟁과 살육이 종교인들의 책임임을 부인할 수 없기 때문이다.

이웃과 이웃마저도 종교 때문에 싸우고 부모의 시신을 앞에 놓고 피를 나눈 형제끼리도 종교의식 때문에 싸움판이 벌어지는 현실을 포교 일선에서 보고 느끼면서, 나 역시 그런 일에 일조하는 한 사람이 아닌가 생각할 땐, 가슴이 뜨끔거린다.

사람이 사람을 믿고 살아가라는 것이 종교의 가르침일진데 종교가 틀리고 종파가 틀린 데서 중상모략을 일삼고 부모 형제 사이마저 원수가 된다면, 오히려 종교를 갖지 않는 것이 훨씬 지혜로운 삶이 아닐런지?

인간은 끊임없는 선택의 모순 속에 살아야 하는, 슬픈 중생임에는 틀림이 없다. 그러기에 성현들은 그 선택의 모순을 초월할 수 있는, 믿음과 이해의 길을 터놓으신 것이 아닌가!

진정 이 땅에 구원의 길이 오고 남의 말 좋게 하자는 현수막이 내려질 수 있는 날이 있다면, 인간이 인간을 믿고 살 수 있을 때 실현되리라!

종교도 진리도 인간이 인간을 떠나서는 이미 인간의 일이 아니다라고 한다면, 너무 인간적인 표현이 될까?

옆집 복슬인
전생의 내 애인이었고
앞집 고양인
전생 도반이었지
우리집 소는
내 아낙이었고
떨고 있는 부엉인
전생
내 부모였지!

색즉시공 공즉시색

팔공산 봉우리 봉우리
하! 아름다워 꼬옥 껴안았더니
손에 쥐이는 건
한줌 흙이었네
그마저 스치는 바람에
먼지되어 날으니
팔공산은 간 데 없고
빈손 되었다네
그러나 날아간 먼지
다시 팔공산 되었으니
색즉시공 공즉시색의 도리가 이러하며
나고 죽는 인연의 도리가
이러하다네.

윤회와 반야심경의 도리를 쉽게 풀어 본 시이다. 시간과 공간을 초
월한 깨침의 세계가 얄팍한 알음알이로 설명될 수 없고, 표현의 한계

가 있는 문구로 규명되기란 역시 언어도단이기에, 부처님께서 팔만 사천 법문을 설하시고도, 마지막엔 한 말씀도 하신 일이 없다 하셨으니, 이론의 한계를 나타내신 것이리라!

그러나 깨달음의 세계 역시, 이론과 언어의 세계를 떠나 있는 것은 아니기에 우린 글자의 나열을 빌려, 「있는 것이 없는 것이고, 없는 것이 있는 것이라는」 색즉시공 공즉시색의 세계에 접근해 볼 수도 있으리라.

언젠가 꽃의 일생을 고속으로 촬영한 비디오를 본 일이 있다. 싹이 트고 잎이 나고, 줄기 돋고 꽃 피고 열매 맺고 시들어, 한 줌 먼지 되는 장면이었다. 분명 몇 초 전 있었던 꽃이 금방 사라지고 없었다. 그 사라진 꽃의 먼지는, 다시 또 다른 꽃의 자양분이 되고 잎이 되고 줄기와 꽃이 되었으니…….

오늘 우는 매미가 작년 매미가 아니고 오늘 핀 봉숭아가 작년의 꽃이 아니지만, 아낙들 손톱에 지금도 봉숭아물이 들듯, 생사(生死)가 둘이 아니요, 가고옴이 둘이 아닌 이치가 여기 있는 것이리라. 우리 인간 역시 이렇게 건재해 있지만 혼이란 기운이 빠져 나가면, 바람빠진 풍선처럼 쭈그러지고 따뜻하던 온기는 우주의 화기(火氣)로 돌아가고 피와 눈물, 콧물은 수기(水氣)로 돌아가며, 우리를 버티던 뼈와 살은 한 줌 흙으로 돌아간다. 그 지수화풍(地水火風)의 기운들은 또 다른 형체로 화현(化現)되어, 제 모습들을 다시 이어 가니, 있는 것이 없는 것이고 없는 것이 있는 것이라는, 색즉시공 공즉시색의 도리가 이러한 것이 아니겠는가! 그러나 우주 만유가 그대로 내 살이요, 내 피요, 내 기운임을 깨달을 수 있을 때, 이 도리를 진정 알게 되리라.

밥만 먹곤 못 살아

밥만 먹곤 못 살아!

우리는 이 말에서 풍기는 뉘앙스를 성적 음담으로만 이해하려고
한다.

그러나 알고 보면 이것은 부처님 말씀이다. 부처님은 인간이 인간
다운 인간으로 성숙하기 위해서는 밥만 먹곤 살 수 없으니 밥 외에도
세 종류의 식사를 더 하여야 한다고 이르신다. 그 첫째가 촉식(觸食)
으로 오감(五感)으로 먹는 식사이니, 눈으로도 먹어야 하고 귀로도,
피부로도 먹어야 한다. 눈으로는 아름다운 것, 피부로는 부드러운 감
촉을 먹을 수 있어야 한다는 말이다. 두번째가 식식(識食)이니 지식
과 기술, 학문 등 여러 가지 배움의 식사를 하여야 하며, 세번째가 사
식(思食)이다. 이 사식은 가장 고등한 동물, 인간만이 할 수 있는 식
사로, 무한한 창조적 상상과 미래를 설계하는 희망, 그리고 정신적
세계를 추구하는 종교 등을 먹어야 하는 식사이다. 이 식사를 하지
못할 때 인간은 따뜻한 가슴과 사랑을 잃게 되고, 미래와 희망을 갖
지 못한 채, 동물이 되고 만다. 어른들은 어린 아이들에게 편식하지
말고 골고루 먹어야 한다고 이른다. 자신들이 편식하고 있음을 깨닫

지 못하면서.

수행하는 스님들이 혼자서도 잘 지내고 술이나 담배 없이도 여법하게 살 수 있는 것은, 또 다른 식사의 즐거움이 있기 때문이다.

지렁이를 잡아 먹고 굼벵이와 구더기를 찾아 먹는 식사도, 하나의 즐거움이 되겠으나, 모두가 하등동물들의 하등식만을 고집하는 무지의 행위임을 깨달아야 할 것이다.

음란 비디오가 판을 치고 성범죄가 급증하는 시대 상황에, 병들어 가는 우리들! 더욱 안타까운 것은 그 와중에, 갈 길 몰라 헤매는 우리 자식들이다.

우린 그들에게 무엇을 가르치고 무엇을 남겨 줘야 하는 걸까? 편식하지 않고 골고루 먹는 법?

「인간은 밥만 먹고 못 산다」는 깊은 의미의 뜻만이라도, 제대로 가르쳐 줄 수 있는 어버이들이 되었으면 한다.

인공호흡과 뽀뽀

모 절에 머물고 있을 때의 일인데, 지금도 생각하면 우습고 부끄럽기만 한 일이다. 이를 계기로 사람들의 보고 들음이 얼마나 부정확하고, 생각과 판단이 얼마나 불확실한가를 생각하게 되었다. 본절에서 좀 떨어진 곳에 암자가 있었는데, 오르는 길이 가파르고 울퉁불퉁 하며 기암 괴석들이 제멋대로 어우러져 사람들이 접근하기 힘든 곳이었다.

생각이 정리되지 않고 공부가 힘들 때에는 그 길을 오르면서 번뇌도 털어 보고, 운이 좋아 그곳 스님이 계실 때는 허허차도 얻어 마시던, 조금은 젊었을 때의 이야기다.

그날도 한여름 오후의 졸음을 쫓고자, 암자길을 따라 오르고 있었다. 시원한 솔바람에 땀을 식히고자, 바위에 걸터앉았는데, 이상한 소리가 들려와 눈을 돌리니, 조금 떨어진 숲속에 남녀가 어우러져 있었다.

「에이, 고이연!」

고개를 돌리며 욕을 했다.

하필 수행하는 스님들이 계신 곳에……. 그러면서도 젊은 승려의 호기심은, 다시 한번 고개를 돌리게 하였다. 눈길이 마주친 사내는 아랫마을에 살고 있는 착하고 예의바른 총각이었다. 항상 예의가 발라, 가까이 지내던 사람이었는데, 저럴 줄이야. 돌아 내려오는 등 뒤에 부르는 소리가 들렸다.

고이연! 무슨 변명을 하려고. 그러나 제반 이야기를 듣고 보니, 내가 생각하던 상상과는 상황이 전혀 달랐다. 목을 맨 처녀를 구해 놓고 인공호흡을 시키고 있었는데, 입에 숨을 불어 넣고 심장을 뛰게 하려는 몸짓이, 사랑의 행위로 오인케 된 것이다.

내눈엔 분명 가슴을 문지르고 뽀뽀를 하는 행위였던 것을……

나는 그 이후 어떠한 사실이든, 자신의 눈으로 확인된 일이라도, 내용과 사정을 알기 전에는 결코「옳다」,「그르다」는 판단을 하지 않는 버릇이 생기고 말았다. 부처님 말씀에 말법시대 중생들은 신업(身業)이 지중하니 몸뚱이 조심하고, 구업(口業)이 지중하니 입을 조심하며, 의업(意業)이 지중하니 생각을 조심하라 이르셨다. 정신없이 빠르게 살아 가는 이 시대 사람들, 쉽고 편하게만 살아 가려는 요새 사람들, 내 생각만이 옳다고 고집하는 사람들에게, 꼭 한 번쯤은 들려 주고 싶은 말이요, 경험인 것이다.

신앙은 무엇인가

신앙은 무엇이며 신앙은 왜 필요한가, 그리고 신앙은 어떻게 해야 하는가에 대해 이야기하고자 합니다. 먼저 신앙이란 무엇인가요?

신앙을 서구인들은 이렇게 정의하고 있지요. 「완성을 향해 끊임없이 자신의 작은 껍질들을 벗어 가는 자각의 행위」라고요. 절대자라는 존재를 설정하고, 그 존재를 믿는 것만을 신앙으로 알고 있는 오류를, 우리 마음속에서 우선 정정해야 하겠지요. 좀더 나은 자신, 그 완성을 위해 작은 껍질을 벗고자 하는 행위는 바로 잘 살아 보고자 하는 인간의 몸부림이니, 어느 누군들 잘 살려 하지 않는 사람이 있겠습니까? 잘 살아 보고자 하는 마음의 행위가 신앙일진데, 「나는 신앙이 필요 없다」는 사람은 잘 살고 싶지 않다는 얘기가 되겠지요. 불가에서는 잘 살아 보겠다는 마음을 신(信) 즉 믿음이라고 하고, 그 행위를 수행이라고 표현하지요. 그럼 어떻게 해야 잘 살 수 있을까요? 바꾸어 말하면 어떻게 해야 신앙을 잘할 수 있을까요?

이 물음에 불가에서는 마음을 잘 쓰면 된다고 대답하지요. 이 마음이란 신기막측하여서, 오무리면 바늘 구멍보다도 작게 되지만, 펼치게 되면 온 우주라도 감싸게 되고 더욱더 크게 펼치게 되면 삼천대천 세계를 감싸며, 과거·현재·미래 그리고 전생·금생·내생을 꿰뚫어서, 우주 법계의 생성 변화의 도리까지 알게 되지요. 이렇게 마음을 쓰면, 자연이 잘 살 수 있게 되는 것이 아닐런지요.

이렇게 마음을 쓸 줄 아셨던 분을 우리는 부처님이라 하고, 그 마음 쓰는 방법을 인도 말로 달마, 법이라고 하여서 불경이라는 책자로 엮었지요. 그 방법대로 행하는 사람을 스님, 또는 보살 또는 불자라 이름하지요. 알고 보면 잘 살고 못 산다는 것이 마음 먹기에 달려 있는 것이 아닐런지요.

여기 마음을 잘 써서 고통과 번뇌의 굴레를 벗고, 여섯 감관의 노예에서 풀려난, 허목이란 사람의 이야기를 한 번 예로 들어 볼까 합니다.

허목은 이조 숙종 때 판서를 지낸 사람으로, 전생에 복을 많이 지어서 부와 명예에다가 아름답고 총명한 첩까지 두고 사는 복된 사람이었지요.

그러나 인간사 무상한 것이어서, 허목도 불행의 그림자를 면할 길이 없었습니다. 하루는 늦게 퇴청하여 돌아와 보니, 반겨 주어야 할 첩의 모습이 보이지 않았지요. 낮에 어느 숯장사를 따라 나간 뒤, 아직 돌아오지 않았다는 계집종의 얘기였습니다. 그녀가 왜 나갔으며, 왜 자기 곁을 떠났는지 알 수가 없었지요. 몇 날을 기다리다 결국 사직서를 내고 여인을 찾아, 방방곡곡을 헤매게 되었지요. 삼 년이란 세월이 지나고서야, 안동 땅 어느 마을 숯가마 앞에서, 그녀를 만나게 되었지요.

그러나 만나기는 했지만 데리고 올 수는 없었습니다. 설득과 애원을 해 보았지만 되지 않았지요. 마지막으로 자기를 버린 이유라도 알고자 했으나, 그저 인연이 다했다는 말밖엔 아무 말도 하지 않는 사람을 어쩔 도리가 없었답니다.

허탈과 고통, 배신감과 의혹 속에 발길은 친구가 주지스님으로 있는 절로 향했고, 며칠 동안을 두문불출하며 생각에 생각을 거듭하게 되었지요. 결국은 그 이해되지 않는 여인의 마음을 의심하고 의심하는 마음이 화두를 이루었고, 그 화두는 결국 허목을 견성오도의 길로 인도하게 되었지요.

화두(話頭)란 불가에서 의문스런 말(話) 머리를 잡고 늘어져서, 오직 그것만을 의심하는 방법으로, 정신일도하여 생각하다 보면, 자연히 다른 모든 번뇌 망상과 여섯 가지 감관으로 쌓은 업이 녹아 내려서 활연대오하는, 불가의 수행방법 중 하나인 것이지요. 결국 허목은 자신도 모르게 불가의 수행방법인 화두선을 해서, 활연대오의 인연을 얻게 된 것이지요. 육감의 노예가 되었던 마음이 대(大) 자유를 얻어서, 삼천대천 세계와 전생·금생 그리고 내생을 환히 내다볼 수 있는 자유인의 마음이 된 것이지요.

인연을 설명하자면 자신은 전생의 수도자였고, 그 여인은 수도인의 몸에서 피를 빨던 벼룩이었는데, 벼룩이 너무 커져서 몸 속에 눌려 죽을까봐, 산길 어느 바위에 벼룩을 놓아 주었으며, 그 벼룩은 바위 가까이 잠을 자던 산돼지의 몸에 떨어져서 남은 생을 마치게 되었는데, 그 산돼지가 바로 숯장사라는 것. 그들이 금생에 다시 인연이 되어서 전생에 벼룩이었던 첩이 처음에는 자신에게 봉사하였고 나머지 생은 숯장사에게 몸을 맡긴 전생의 사연을, 그는 훤히 알게 된 것이죠.

이 이야기를 마무리해 보면, 신앙이란 바로 잘 살자는 것이요, 잘 사는 것은 마음을 잘 쓰는 것이요, 마음을 잘 쓰는 것은 여섯 감관의 노예에서 벗어나 자유로운 마음, 커다란 마음으로 사는 것이되겠지요. 그 커다란 마음으로 살 때, 서로 미워하고 사랑하며 얽혀 돌아가는 인생을, 바로 보게 되고 그 속에서 악연을 선연으로 엮어 갈 수 있는 묘한 도리, 잘 사는 도리를 발견하게 되는 것이지요. 언제 어떤 모습으로 어떻게 만날지 모르는 우리들!

부디 우리 모두 함께 코 앞의 것이 아니라, 공간적으로는 온 우주 법계를, 시간적으로는 전생과 내생을, 관조할 수 있는 커다란 마음의 사람들이 되기를 합장하면서 오늘의 이야기를 맺고자 합니다.

인연의 도리

인연에 대해 이야기를 조금 하고자 합니다.

우리들이 살아가는 모든 생활사가, 만나고 헤어지는 인연 작복의 일일진데, 인연의 도리를 한 번쯤 음미해 보는 것도 삶에 도움이 되리라 생각합니다. 흔히들 옷깃만 스쳐도 전생의 인연이라고 하는 말을 쓰지요. 인연의 도리를 참으로 쉽게 표현한 말입니다. 불가에서는 옷깃 스치는 인연을 삼생의 인연이라 하고, 입 섞어 말하는 인연을 수생의 인연, 한 지붕 밑에 거하는 인연을 수십 생의 인연이라 하며, 부모·형제·부부·사제의 인연을 수백 생의 인연이라 이야기하고 있지요. 한 번 만나기도 어려운데 수백 생을 만나고 또 만나, 그 인연들이 깊게 성숙되면서, 금생에 부부되고 형제된다는 말이 되겠지요. 그런데 이 만남의 인연이 좋은 인연만은 아니거든요.

아픈 인연에서부터 빚진 인연들까지, 얽히고설킨 인연들이기에 금생에 와서도, 그 인연의 타래들을 잘 풀지 못하여, 서로 미워하고 시기하며 질투하게 되는 것이지요. 주어야 할 인연이라면 주고, 갚아야 할 인연이라면 갚는다는, 참으로 평범한 인연의 도리를 알 수 있다면, 사랑과 미움의 타래들이 잘 풀어질 수 있을 터인데······.

모르기에 어둡기에 미움과 저주, 시기와 질투로 괴로워하게 되는 것이지요. 이번에는 「불심 천자」라 일컬었던 중국의 황제, 양무제의 전생과 금생에 얽힌 이야기를 해볼까 합니다.

양무제는 초기에 많은 불사와 선정을 베풀어서 치적을 쌓았는데, 말년엔 실정을 하여 가장 아끼고 믿던 신하의 손에 의해 바위 굴 속에 갇히게 되지요. 처음엔 저주와 욕설로 시간을 보냈지만 불심천자라 일컬어졌던 그였기에 신심이 돈발하여 바위굴을 법당삼아 공부를 하게 되었고, 결국 활연대오, 깨치게 되어서 시 한 수를 남기게 되었지요.

여기 바위굴에 갇힌
이 몸의 전신은 포수요
나를 가둔 나의 신하는
전생 바위 굴에,
내가 가두어 죽인 원숭이였네
인연따라 주고받은 응보
누굴 원망하고
무엇을 슬퍼하리요.

아들들에게도 원수 갚지 말라는 유언을 남겼지요. 좀더 상술한다면, 전생에 양무제가 포수였을 때, 산 위에 올라가 바위굴을 발견하고, 바위 굴 속에 부처님 한 분도 발견하게 되었지요. 산에 오를 적마다 꽃을 불전에 올리면서 살생하는 포수가 싫으니, 다음 생에는 세상을 다스리는 황제되게 해 달라고 기원을 하곤 했지요. 어느 날 또 가보니 부처님은 거룩한 모습 그대로인데, 공양 올린 꽃이 손에서 떨어져 있고 대신 과일이 올려 있는 것을 보게 되었지요. 이상하다 생각하며 다시 과일을 내리고 꽃을 올리게 되었답니다. 그러나 다음에 올라가 보니 역시 꽃은 버려져 있고 다른 과일이 올라가 있는 것을 보게 되자, 슬며시 화가 난 포수는 굴을 지키게 되었답니다. 얼마 후 원숭이 한 마리가 나타나 꽃을 버리고, 과일을 올리는 모습을 보게 되었지요. 포수는 앞뒤 생각없이 굴문을 돌로 막아 버리고 내려와 버렸지요. 그 일을 까맣게 잊어버리고 얼마를 지났는데, 꿈속에 원숭이 울음소리를 듣게 되고 지난 일이 생각나서 가 보았더니, 이미 원숭이는 굶어 죽고 말았지요.

비록 말 못하는 짐승이지만 포수가 꽃을 올리며 기원하는 모습을 뒤에서 보게 되고 자기도 역시 과일을 올리면서 저런 사람으로 태어나서 저런 사람과 함께 거룩한 일을 할 수 있게 되었으면, 하는 마음을 갖게 되었던 것이지요.

그 공덕으로 포수와 원숭이는 황제와 신하라는 인연으로 금생에 태어났고, 서로 얽힌 인과응보로 포수였던 황제는 원숭이였던 신하에게 굴 속에 갇히게 된 것이지요.

전생과 금생 그리고 내생을 훤히 볼 수 있는 혜안은 갖추지 못할망정, 이 인연의 평범한 도리를 알 수 있다면, 빼앗긴다는 생각, 당한다는 생각없이 참으로 소중한 인연의 사랑을 나눌 수 있지 않을까요? 이 평범한 인연의 도리를 믿을 수 있다면, 길가에 떨고 있는 이웃이 전생의 내 부모였음도 믿을 수 있을 것이고, 나를 괴롭히는 이웃이 전생의 내 형제였음을, 그리고 나와 부딪치는 모든 사람들이 수 생을 이어 오며 부모되고 형제되는 인연을 맺어 온 것도 알게 되지 않을까요? 이런 믿음이 생길 때, 우주의 삼라만상이 하나도 나와 무관한 것이 없다는 도리를 알게 되겠지요.

우리 다함께 이 인연의 도리를, 한 번쯤 생각하면서 살아 갈 수 있다면, 좀더 나은 내일들이 되지 않을런지요?

나를 찾아서

부처님 말씀 중에 「생명 있는 것은 유한한 것이며, 세상 만물은 끊임없이 변해간다」는 제행무상(諸行無常)이란 가르침이 있습니다.

「인생살이 무상하다」라고, 흔히들 쓰는 의미의 말이기도 하지요. 입버릇처럼 무상함을 얘기하지만, 실제론 삶이 영원한 것인 양 착각의 오류에 빠져 살게 되고, 그 오류에 집착하여 또 다른 허상들에 젖어 들고 마는 것이 우리들의 인생살인 것이지요. 이러한 착각과 허상에서 하루속히 벗어나 제행무상의 엄숙한 진리에 눈뜨게 될 때, 진정한 삶이 이루어진다고, 부처님께선 말씀하셨지요.

명예·권세·재산 등, 성공하기 위해 세 끼 밥을 거르며 부지런히 돌아가는 사람일수록, 이런 진리에 눈을 뜨기는 어렵게 되어 있지요.

그 이유는 명예의 노예, 권세의 노예, 재산의 노예가 되어서 살고들 있으니까요. 열심히 부지런히 산 것 같은데, 어느 날 갑자기 자신을 돌아보면, 양파껍질 같은 외적인 성공들만이 널려 있고 정작 자신의 세계는 아무것도 없는 것을 발견하게 되지요.

그때 스며드는 공허와 허무를 우린 감당할 수 없게 되는 경우를 맞이하게 되지요. 공허를 이겨 낼 정신의 세계가 없기에 더 큰 공허와 허무를 잡으려 몸부림하는 것이 우리네 삶이지요. 여기, 생의 무상함을 늦게나마 바로 인식하고, 참된 삶을 살게 된 박 거사님의 이야기를 소개할까 합니다.

오십일 세란 연세치곤 너무 허옇게 세어 버린 머리.

윤기를 잃어버린 피부, 퀭한 눈망울, 허탈한 모습. 어느 날 박 거사님은 이러한 모습으로 공덕원을 찾아오셨지요.

그분이 하신 말씀들, 그분의 숨김 없는 고백 속에, 인간으로 태어난 아픔을 함께 슬퍼하지 않을 수 없었지요.

명예, 권세, 그리고 재산, 아내, 자식, 친구, 그 무엇 하나 모자람 없는 그분이, 어느 날 거울 속에 하얗게 늙어 버린 자신의 모습을 발견하고 그만 소스라치게 놀라 털썩 주저 앉고 말았답니다. 분명 어제도 그 모습이었고 그제도 그 모습이었건만, 그동안은 진정으로 자기를 들여다보지 못했던 것이죠.

분명 이런 순간이 올 수밖에 없는 무상한 삶인데, 자신의 인생에서는 결코 이런 순간들이 올 리 없다고 장담하고 살던 사람이었기에 충격은 더욱 클 수밖에 없었고, 허무함은 주체할 수 없게 된 것이지요. 좋아하는 술도 즐겨 하던 골프도, 생명처럼 여기던 일도, 삶의 안식처이던 가정도, 어제의 아름답고 보람찬 모습들이 아니었죠.

그 허무와 공허에서 벗어나고자 몸부림하다가 찾게 된 것이 발랄하고 아리따운 처녀 직원의 모습이었고, 그 처녀 직원과의 만남이 더욱더 아픈 인연으로 빠져 들게 되었지요. 딸 같은 아이와 분명, 윤리·도덕에 어긋난 만남이요, 아내와 자식을 배신하는 그러한 만남임을 알면서도 어쩔 수 없었던 박 거사님의 행위.

그 중년의 공허에 함께 아파하지 않을 수 없었답니다.

그러나 그렇게 해서 공허를 메울 수 있다고 착각한 오류는, 또 다른 공허와 또 다른 오류를 낳고 말았지요. 온갖 정성과 사랑을 준 그 여인에겐 공부를 시키는 숨겨 둔 애인이 있음을 나중에 알게 되었지요. 결국 그는 정신착란을 일으키고 모든 성공의 껍질들은 한낱 티끌로 돌아가게 되고 말았답니다.

파괴된 삶의 질서, 잃어버린 자기 자신! 뒤섞여 혼란스러워진 마음……. 그러나 열심히 살아온 사람이었기에, 자기 삶을 다시 찾고자 하는 몸부림으로 절을 찾아오게 된 것이죠. 천만다행으로 이분은 전생에 불법을 많이 들었던 인연공덕이 있어, 부처님이 설하신 제행무상의 법문을 쉽게 터득하게 되었지요.

바로 공허하고 무상한 모습들이, 우리 인간들 그대로의 모습임을 그는 깨닫게 된 것이죠. 인연의 도리, 인과의 도리, 무상의 도리를 이해하고 긍정하여, 그 바탕 위에 자기를 새롭게 세울 수 있게 된 것이지요.

그분은 배반한 여인도 용서하고, 잃었던 가정, 그리고 친구들, 모든 것을 다시 찾게 되었지요. 요사인 아침 저녁으로 짧은 시간이나마, 염불독경하며 자신의 정신세계를 키워 가고 있답니다. 이 이야기는 박 거사님 한 분의 이야기가 아니라 우리 모두의 이야기요, 바로 나의 이야기일 수도 있지요, 그리고 자신의 정신 세계를 키워 가지 못하는 모든 사람들의 이야기도 되구요. 아무리 바빠도 하루 한 순간만이라도 자신을 관조하며 살 수 있는 삶이 되어야 하겠지요. 우리 다함께 조용히 눈을 감고 이십 년 후, 그리고 오륙십 년 후의 우리들의 모습을 한 번 생각해 보십시다.

자식들의 무관심에 서운해 하고, 손자들의 홀대에 외로워하는 어린애 같은 그런 모습으로 변해 있을까요? 아니면 오갈 데 없는 지천(至賤)꾸러기로 늙어감을 한탄하며 양로원 한 모퉁이에 앉아 있을까요?

아니죠, 그런 모습들이 되어서는 아니 되겠지요. 이제라도 늦지 않았으니, 부처님 말씀인 제행무상의 법을 바로 알고 잠시 잊어버렸던 자신들을 찾아, 아침 저녁으로 염불송경하며 자신의 정신계를 살찌워 간다면, 오륙십 년 후 몸은 늙어 구부러져도 정신은 더욱 맑고 커서, 한 손엔 염주알 굴리며 느긋한 미소로 삶을 회향할 수 있겠지요.

여유 있는 마음으로 죽음도 맞이할 수 있게 되겠지요.

　오늘 이 시간은 우리 모두 잃어버린 자신을 돌아보고, 자신을 키워 갈 수 있는 인연의 시간이 되기를 두 손 모아 합장 기원해 봅니다.

창녀가 국회의원

얼마 전 모 신문, 해외 토픽란에 「창녀가 국회의원으로」라는 제하에 벌거벗은 여인을, 지지자들이 높이 받쳐 들고 있는 사진을 본 일이 있다. 보기에 따라 인간 승리의 한 모습이라고, 더 큰 제목으로 대서특필할 수도 있겠으나, 그때의 섬뜩했던 심정은 고정관념을 깨지 못한 편견의 소치였을까?

부처님 당시에도 왕후장상 못지 않게, 존경과 권위를 지녔던 창녀가 있었고, 우리나라에도 황진이와 같은 품위와 격조를 지닌, 기생이 있었을진데, 창녀가 국회의원이 됐다 해서 큰일 날 이유야 없겠으나, 시대와 상황이 틀리고 보니 한 번쯤 다른 각도에서 생각해 봄직도 하다.

자극없이는 살 수 없고, 어지간한 자극에는 감동도 아픔도 느낄 줄 모르는 묘한 현대인이 탄생했으니……그들이 빚어 내는 혼란의 단면일 수도 있기 때문이다.

인간은 자신을 잃어버릴 때, 질서와 화합, 윤리와 도덕마저도 잃어버린다고 한다. 창녀가 모두 국회의원이 되겠다고 한다면, 성직자나 교사들이 너나 없이 정치한다고 나선다면, 그 나라 그 사회는 어떻게 될까?

　여기 선재라는 한 청년이, 어떻게 사는 것이 가장 잘 사는 것이며, 어떻게 사는 길이 가장 훌륭히 사는 길인가를 배우기 위해, 세상에서 제일 성공했다는 오십삼 명의 사람들을 만나는 이야기가 있다. 남스님, 여스님, 왕후장상, 부자, 가난뱅이 향팔이, 창녀 등 각양각색의 사람을 만나게 된다. 선재는 성공한 창녀를 만나서 묻는다.

　「어찌 창녀의 신분으로, 밖으론 사랑과 존경을 받고 안으로는 걸림 없이 자유의 즐거움을 누릴 수 있느냐.」

　창녀는 엷은 미소로 조용히 대답을 한다.

　「나도 한때는 사내들에게 짓밟힌다는 수치감과 능욕당한다는 울분으로 자신과 남을 저주하고 살았으나 한마음 돌리어 그들에게 베풀고 있는 내 소중한 모습을 발견하게 되고 보니, 수치와 저주가 이해와 자비로 솟아나 모두가 한몸임을 깨닫게 되고 모두를 진심으로 사랑하게 되니, 또한 모두가 나를 사랑하게 되더라.」

　향팔이는 향팔이대로, 온세상 구석구석 향내음 전하고, 뱃사공은 뱃사공대로 중생들을 건너게 하니, 모두가 소중하고 소중한 사람들이 아니겠는가!

　어묵장사로 호구책을 마련하면서도 교수의 품위를 잃지 않고 포장마차로 가족을 먹여 살리면서도 존경받는 이웃 나라 스승들.

　그들 또한 자신의 자리에 제대로 서 있는 사람들이 아닐까?

바가지

담을 줄 알기에 비울 줄 압니다.
비울 줄 알기에 담을 줄도 압니다.
비우는 지혜 익혔으니 새 생명 담고 담으리다.

〈바가지〉란 졸시의 전문이다. 놓으면 더 새롭고 좋은 것들을 담을
수도 있으련만, 놓지 못하고 제 무게에 눌려 압사하는 우리들!

큰 정치인, 큰 종교인, 큰 기업인, 큰 글자가 붙은 이들이 놓지 못
하는 것은 놓을 물건들이 너무 무거워서일까? 놓을 줄 알아야 하고
놓는 것을 보여 줘야 할 사람들이 그러지 못하니, 그들을 바라보고
배워야 할 젊은이들은 어찌 서야 하는 것일까?

참으로 답답할 때가 많다.

놓을 줄 알고 비울 줄 아는 것은 도덕적이고 종교적인 차원의 얘기
가 아니라, 역사를 창출하고 자신과 세상을 아름답게 장엄하는 진리
요 지혜인 것을……

어느 단체나 모임에 내분이 있는 것은 어쩔 수 없는 중생살이기 때
문이리라. 그러나 그 내분이 신문 잡지에 대문짝 만한 볼거리로 회자

되고, 그 단체가 사회를 계도하고 정신적 지주가 되야 할 단체라면……
…….

조계종의 내분을 종도의 한 사람으로 바라보며 한숨짓기 여러 번, 이 역시 놓지 못하고 비우지 못한, 일부 승려들의 어리석음 때문이 아니겠는가?

그러나 슬퍼할 일만은 아닐 것이다. 절 때문에 칼부림하는 중들이 있듯이 눈푸르게 수행하는 승려가 있고, 토끼뿔 같은 명예 때문에 수행자의 본분마저 잊어버리는 승려가 있는가 하면 목숨 바쳐 법(法)을 세우고 펴는 아름다운 스님들이 계시기 때문이다.

또 선현들은 이렇게 이르신다. 캄캄한 밤중 천길 낭떠러지 외나무다리에 횃불을 잡고 앞에 가는 사람이 더럽다 해서, 그 불빛을 받지 않겠다 한다면 떨어져 죽고마는 어리석음을 범한다.

우린 더러운 사람을 따라가는 것이 아니라, 밝은 불빛을 따라가는 것이다. 종교인들의 행이 배울 바 없다 해도, 그들이 쥔 진리의 빛은 더러운 것이 아니기 때문이리라.

찻 종

세상의 그리움 다 안아 보구
세상의 미움들 다 담아 보네

별님 안아 보구
달님 담아 보네
내님도 안아 보네

방울아 스님네의 일상이 참 한가롭게 보인다고 말했지. 실은 자기
정화를 위한, 소리 없는 투쟁의 연속이란다. 가고 서고, 앉고 눕고, 말
하고 침묵하며, 움직이는 일거수 일투족이 정리와 정화로 이어지는
치열한 자신과의 싸움이란다.

수행이 익어 안과 밖이 확연하고, 전생과 내생의 창틀마저도 부서
져 내릴 때쯤이면, 치열한 싸움의 격식들이 봄눈 녹듯 사라져 내리지
만…….

그러나 익어 떨어진 열매도 창고 속에 잘 저장하여 후숙시켜야 제
맛이 들듯, 눈 열린 스님들의 또 다른 성숙의 몸부림은 세밀하고 면

밀하여 그 공부가 신비하기까지 하단다. 네겐 너무 어려운 얘기가 될지 모르겠으나…….

그러나 방울아!

본래의 마음자리에는 세월의 흐름도, 너와 나의 그림자도, 모양이나 걸림 따위는 애초부터 없는 것이니……. 마음이란 옷자락을 가볍게 벗어 놓고 묵묵히 영혼의 소리에 귀기울여 보려무나. 그러면 차 한 잔 다리는 손 놀림 속에서도 도의 세계, 성숙의 세계를 배울 수 있단다.

다포(茶布)를 깔고, 다구를 늘어 놓으며, 놓이는 세상의 이치를 보고, 팔팔 끓는 다관의 물소리를 들으며, 사바의 고뇌와 아픔, 끈끈한 삶의 부대낌을 느껴 본단다. 찻닢을 꺼내면서 번지는, 새의 혓바닥 같은 작설의 살 내음에……차를 따는 여인의 정갈한 가슴과, 차를 볶는 아낙의 따스한 손끝도 생각해 본단다.

곱게 달여진 차가 찻종에 다소곳이 담겨져 있음을 볼라치면, 빠알간 그리움과 노오란 미움들이 녹아지고 있음을 느낀단다.

별들과 달들이 녹고, 가슴까지 녹는 따스함도 접해 보게 된단다. 마시고 난 뒤의 빈 잔 속에서 비움의 아름다움을 배우고, 모두 제자리 돌려 놓는 행장 속에서 본래의 제모습들을 돌아보며, 평상의 적은 일상이 그대로 공부요, 삶임을 온몸으로 느낀단다.

방울아!

행복은 저 산 너머 있는 것이 아니고, 우리들 생활 속에, 우리들 마음속에 있는 것이기에 평상심이 도(道)라고 선현들은 알려 주신단다.

세월의 흔적

교연아! 미연아!

우린 세월이 흘러간다고 얘기하지. 그 표현도 맞겠으나 다시 보면, 세월은 항시 그대로인데 우리들의 모습과 주위의 현상들이 흘러가고 있음을 볼 수 있단다.

조그맣던 너희들이 성숙한 여인의 모습을 지니듯, 팽팽하던 스님의 이마에 주름이 지듯 우리의 변해 가는 모습들을 세월의 흔적이라 부르지.

제행무상(諸行無常)이란 어려운 표현을 빌리지 않더라도, 항상 그대로인 것이 세상엔 없단다. 작은 미물의 탈바꿈도 인간 성숙의 모습마저도, 모두 흐르고 변해가는 현상이란다. 교연아, 그리고 미연아! 흐르는 세월 잡으려 함도, 변해 가는 모습들 막으려 함도, 참으로 안스럽고 어리석은 몸부림이 아니겠니! 흐르면 흐르는 대로, 변하면 변하는 대로, 그 모습 그대로의 아름다움이 있음을 우린 알아야 할텐데 ……. 신선하고 발랄한 모습이나 농염한 무르익음도 아름다움이겠지만, 은발이 귓가에 한두어 올 물들어 있음 또한 고운 멋이 아니겠니?

교연아! 미연아! 너희도 이제 부모품 떠나, 한 생명 만나, 부부로 태어나는 기쁨과 진통을 맛보게 되겠지. 그 뒤엔 엄마로 태어나고, 인연 있으면 종교나 진리를 통해 더 큰 태어남도 맛볼 수 있겠지.

그리고 훗날 먼 훗날, 죽음이란 커다란 변신으로, 더 큰 태어남을 겪어 가겠지.

새롭게 태어남은 환희이자 고통이고, 고통이자 성숙임을 너희도 어렴풋이 알겠지. 끊임없는 변화 속에 우리는 삶이라는 모습들을 지어 가는 거란다.

너희야 이제 여름의 문턱에서 마냥 푸르른 내일들을 기약하겠지만, 스님은 가을의 중턱에서 그동안 뿌려 놓은 모든 것들을 인과의 법칙따라 한 올 한 올 거두우며 또 어느 생 씨 뿌릴 봄을 위해 이웃들에게 회향하는 모습 지녀야 하겠지.

숱한 시행 착오와, 아픔·슬픔·외로움과 사랑을 세월 저쪽에 넘겨 보내고 그래도 작게나마 맺은 결실을 되돌려 회향할 수 있는 가슴에 감사하여야겠지.

교연아! 미연아!

변해가는 모습들을 바로 보고 보여진 모습들이 싫다 해도, 큰 마음으로 긍정할 수 있는 용기와 지혜가 너희들 가슴에도 곱게 담겨지길 스님이 아닌 삼촌으로 기도하련다.

2

입산기
─회상의 노래─

증조할머님
스물세 살 청상이고,
할머니 스물여섯 과부이고,
어머닌 스물한 살 혼자됐네
여동생 하나마저 스물네 살 과부이니!
떼과부집 장손마저 머리 깎은 중이 됐네

〈업〉이라는 나의 시이자 내 집안의 내력이다.

선대의 조상님들, 남에게 무슨 못할 짓을 그리도 많이 하셨기에, 자손들 하나같이 단명보(短命保)를 면치 못해 삼십 전에 세상 뜨니, 한서린 과부들의 그늘 속에 무엇을 배웠을까?

외로움과 한, 그리고 그리움들이었다.

그러나 전생에 불연이 있었던지, 조상님 가운데 고우신 마음으로 무주상보시하셔서 그 공덕이 있었던지 스물여덟에 입산하여 단명보를 면케 되고 불쌍한 영혼들 가는 곳 발길마다 천도한 공덕으로 사십을 넘기었다. 두 동생마저도 사십 넘어 건강하게 잘들 사니 한 집에 스님 한 분 옳게 나면 구족이 생천(生天) 한다는 말, 어찌 믿지 않을손가!

이제 내 나이 사십 중반되어 해야 할 일 있다면은, 아픔과 고독으로 날줄 삼고 슬픔과 괴로움으로 씨줄 삼아, 한 올 한 올 엮어 맺힌 세 과부의 질긴 한을 풀고 또 풀게 하는데 남은 인생 바치리니.

그분들 같은 서러움으로 앙금되고 업이 되어, 구천을 배회하는 중음중신 영가까지, 아니 살아 숨쉬는 몸을 지닌 영혼들에게까지 한을 푸는 부처님법 들려 주고 들려 주는데 남은 인생 바칠 것을 다짐하며 먼저 가신 할머님 두 분 그리고 어머니, 세월 저쪽 넘어 가신 조상님들께 회상 노래 지어 올리려니, 나 같은 불효자 있으면 다함께 참회하는 인연되길…….

회상의 노래

이승에선 다시 뵐 수 없는 증조할머니! 수확해 간 빈 들판에 한 톨 한 톨 이삭 주어 모은 푼돈 떡집에다 맞겨 놓고, 등교길 저만치 숨어서 싫다는 손자놈 책보따리 풀어 놓고 꼭꼭 싸 주시던 그 따스하던 떡 뭉치. 세 과부 삼 남매 여섯 식구 입칠이 어려워서 고향 뜰 때, 입 하나라도 줄인다고 작은댁에 모셔야 했던 그날 밤 그 오열. 떨어지시지 않겠다고 몸부림하며 울부짖던 그 모습.

돌아가시는 날까지 문창살 창호지에 침구멍 뚫어 놓고, 하루같이 삼백육십오 일 기다리셨다는 증조할머니! 구십 평생 긴 생애, 기다림과 그리움과 한으로 얼룩진 화폭이었지.

해지고 어스름 내리면 큰 과부 증조할머니 방 안에서 눈물 짓고, 마루에 앉아 별을 세는 중간과부 할머니! 무너지는 한숨은, 언제나 이 가슴 떨게 했지. 어린 과부 어머니는 아궁이 죽은 재만 뒤적이고 뒤적였지. 그 속에 자란 아이, 그 한 풀려 중이 되고 말았는데…….

세 과부 가운데, 생활의 리더였던 중간과부 할머니! 스물여섯 젊은 나이, 지아비는 왜놈에게 맞아 죽고 아들 하나 딸 둘 키워 모두 성가시키느라 모진 고생하셨다지.

외동아들 열여덟 살 장가들여 효도받고 떡두꺼비 같은 손자 손녀 둘을 보고 며느리 태기가 또 있으니 단명하고 손귀한 집안에 경사났었지. 서러운 과부 아픔 모두 잊고 사는 맛 났었는데, 갑작스레 밀어 닥친 육이오 사변. 금쪽 같은 자식은 살았는지 죽었는지 행방이 묘연하니 집안은 풍지박산되고 스물세 살 어린 과부, 또 하나 늘었으니 업일러라 업일러라! 참으로 업일러라! 자식 찾아준다는 꼬임에 있는 재산 다 날리고, 두 과부 거느리고 삼 남매 손자 손녀, 여섯 식솔 살리자니 밭갈이 논갈이, 보리 베고 타작하고, 오줌지개 똥지개, 품앗이 일꾼으로 안 해본 일 없으시던 질경이 같던 할머니!

돼지오물 거름된다 모으시던 할머니, 괭이질하다 허릴 삐시고 다짜고짜 돼지똥물 벌컥벌컥 마시고선 무우밭에 앉으셔서 무우 뽑아 씹우시던 억척 같던 그 모습! 그러나 긴 겨울밤엔 손자놈을 무릎팍에 고이도 뉘이시고 유충열전, 사씨남정기, 사명대사, 명심보감! 구성지게 읽어 주시던 매화꽃 같던 할머니!

육이오로 행방불명된 자식, 이제나 저제나 돌아올까? 사립문 열어놓고 방 문고리에 줄을 매셔 두 손에 꼬옥 쥐고 주무시던 한서린 그 모습. 아침 저녁 장독대에 정한수 올려 놓고 손바닥 부르트도록 빌고 또 비시던, 중된다 떠나 버린 손자놈마저 기다리시다 기다리시다 목이 열 자나 빠지셔 돌아가신 할머니! 기다림과 한의 칠십 평생……

   큰과부는 유복손자 등에 업구!
   중간과부 큰손자 등에 매구!
   어린과분 계집애 등에 얽구!

이 일 저 일, 이 집 저 집, 논도 메고 밭도 메고, 배고픈 보리고개엔

피 훑어서 피죽 쑤고 나물 캐다 나물죽 쑤어 겨우겨우 연명했지. 눈 오는 겨울이면, 돌래돌래 모여 앉아 새끼 꼬고 삼 삼으며 보리개떡 술찌끼로 모진 생명 이어 갔지. 갈라지고 찢어진 과부 손 끝 마디마디, 이슬처럼 맺힌 핏물. 그걸 보며 자란 가슴, 앙금되고 멍이 되어 의적 일지매나, 신부나 스님으로 불행하고 불쌍한 이 위해 살겠다는 야무진 꿈이 됐지.

결국 먹고 살 길 막막하여 계집애는 고모집에 맡기고 두 과부 두 자식 남겨 놓고 어린 과부 어머니, 돈 벌러 길을 떴지. 서울 어느 고무신 공장으로…….

진눈깨비 오던 그날.

파랗게 얼은 손에 흰 보따리 꼬옥 쥐고 눈바람에 치마자락 여미고 또 여미던 추운 모습, 기적소리 싣고 갔지. 어머니 돈 벌러 떠난 며칠 뒤, 할머니는 신주단지 정한수 그릇 뒷뜰에 모아 놓고 쇠도리깨로 부수고 또 부수어 흙 속에 밀어 넣고 내 손목 꼬옥 쥐고 성당엘 나갔었지. 아홉 살이 되던 핸가…….

과부들의 회한 속에 어린 가슴 잿빛의 앙금들로 물들어 갔네. 석양에 반짝이는 강물빛, 마당에 드리운 달 그림자, 호젓이 울어대는 귀뚤이들 유일한 벗이었고, 언제나 책 속에 사색하는 애어른이었었지. 애비 없는 후레자식 소리 들어선 안 된다고, 할머니의 준엄한 가르침이 안고 서고 가고 오는 몸가짐에 어긋남이 없었으니, 이름하여 꼬마 공자! 김씨 집안 인물 낳다 입들을 대곤 했지. 할머니의 아낌 없는 사랑에도 어머니 사랑 그리워, 밤마다 꿈을 꿨지. 나일론 양말, 우단 잠바, 흰 운동화 사 가지고 사립문 들어서는 보고픈 어머니를…….

하루빨리 성공하고 출세하여 여동생 찾아오고 떼과부들 편히 모신다고 하늘에 몇 번이고 맹세했지. 그 덕에 열심히 공부했고 항시 장학생되었었지. 싱숭생숭한 사춘기에도 의지를 기른다고 인두에 불달구어 가슴팍을 지졌었지. 한 번 두 번……열 번!

어린 가슴 타고 타는 살 내음마다 과부들의 한이탔지. 일 학년 이

학년 올라가는 계단이 너무도 느리다고 학교 그만 두고 검정고시 준비했지. 하루라도 빨리 성공하여 할머니들 어머니 형제들과 함께 살고 싶었기에.

서울 간 어린 과부 어머니!

온갖 고생 다하면서 매달매달 생활비 부치셨고, 명절 때면 한두 번 내려오셔 온 식구가 모였었지. 그 가녀린 어린 과부! 할 짓 못 할 짓 가리잖고, 돈을 모아 다방 사고 여관 사고.

피죽 쑤던 배고픔이 한이 되어 허리띠 졸라 매고, 먹고 싶은 돼지족발 오 년만에 드셨다니, 세월 지나 내 고등학교 다닐 쯤에 증조할머님만 남겨 두고 할머니와 세 자식 불러 올려 다함께 살게 됐지. 참으로 행복했어.

그러나 그 행복 속엔 그늘진 아픔들이 숨어 있었어. 꼬마공자 별명 붙은 이놈의 눈엔 어머니 생활모습 그땐 이해되질 않았었지. 오히려 술찌끼, 보리개떡, 피죽 쑤어 나눠 먹던 그 시절이 그리웠지. 어머니의 사업관계 · 교우관계 등등 거기에 벌어지는 이해 못 할 요지경 세계들. 예가 아니면 보지도 듣지도 말라고 가르치신 할머니 말씀, 천주님 십계명대로 살아야 한다고 귀에 따그랭이 앉도록 듣고 익혔던 사고와 습관들이 견디기 어려운 갈등이었고 고통이었지.

성모 같던 어머니상 무너져 가고, 물질만능의 안경 쓰신 어머니 생각과 생활들. 풀 수 없는 아픔으로 작은 가슴에 못이 됐지. 돈 벌 이유가 없어졌고 출세할 목적마저도 사라졌지.

어머니를 구제할 수 있는 길 무엇일까? 돈이면 다 된다는 어머니병. 행복과 사랑마저도 돈이면 살 수 있다는 어머니 삶의 철학을 고치는 길은 마음 고치는 의사 되는 길이라 생각했지.

대학교 입학 시기가 되어 두말없이 카톨릭 신학대학에 원서 냈으나, 펄펄 뛰시는 할머니 어머니! 사람까지 사서 시험칠 수 없도록 하셨었지. 그러나 사실대로 밝힌다면, 시험을 안 친 것은 나 자신의 신앙에 문제가 있었기 때문이었지.

믿는 자의 입장에선 잘 믿어 왔으나 믿게 하는 이의 경우가 되려 하니 회의와 갈등으로 주체할 수 없었지. 선배되는 목사님께 상의했더니 신학대학은 일반대학 졸업하고도 갈 수 있으니, 학교 다니면서 생각할 수 있는 시간을 가져 보라 말씀하셨지. 그 말씀 옳은 것 같아 일반대학을 가게 됐지.

신앙이 생활이고 생활이 신앙이었던 나에게, 신앙에 대한 갈등과 회의는 외로움과 고통이었지. 그러던 어느 날 종교모임의 지도교수님이 회원들에게 간절히 말씀하셨지.

「너희는 교인이기 전 한국인이니, 반드시 불교사상을 공부해 두라」고. 이유인즉 학술회의차 외국엘 가셨다가 이름 있는 철학자를 만났고 대화중에 불교에 대해 묻길래 「교회에서 유아세례를 받고, 서양철학을 해서 불교를 모른다」고 하자, 「몸은 동양에 있으면서 정신은 서양에 팔아먹은 당신과 시간낭비할 수 없다」며 일어서 창피를 당했다는 것이었으니, 그 말씀이 내 운명을 바꿔 놓는 인연이 될 줄이야.

불교는 울긋불긋 무서운 그림들과 칼춤 추는 여인네들 득실거리는 무당집합소 정도로밖엔 모르던 나였지. 어느 날 책방에 들러 반야심경 해설이라는 작은 책자를 사게 되고, 그 속에 적혀진 내용들을 한 자 한 자 살피면서, 충격과 환희로 몇 날을 보내게 되었지. 보고 또 보고, 읽고 또 읽고! 풀리지 않던 인생문제, 알 수 없었던 성현의 말씀들 하나 하나 풀어져 갔지.

회의와 갈등 눈 녹듯 녹아 내렸으니, 봉사 눈 뜨듯 기뻐 용약했네. 그 뒤 많은 경전들을 접했고, 내 찾던 세계가 거기 있음을 알게 되고 개종을 결심했지. 역시 깨달음의 세계는 얄팍한 이론의 세계가 아님을 알게 되고 입산을 생각했지. 그러나 오로지, 큰놈 큰손자에 모든 희망을 걸고 사는 청상과부들……많이도 고민했지.

2년여를 망설이고 갈등하고 벼르던 우여곡절 끝에, 떠난다는 쪽지 한 장 남기고 길을 떴지. 피 맺히고 한 맺힌 과부들의 통곡을 듣지 않

으려 귀를 막고, ㅎ사(寺)·ㅌ사(寺)·ㅂ사(寺)·ㅅ사(寺) 인연 닿
는 스승 찾아 헤매길 ㄷ년여. 헤매던 발길 어둠이 내리는 ㅍ사(寺)에
이르렀지. 지친 몸 뉘였지만 일어나는 상념들. 귀 막아도 들리는 과
부들의 지친 오열! 잠 못 들고 뒤척이는 가슴에 시린 바람, 딸각이는
문고리 울음, 살갗을 에이듯 파고 들었지. 쌓이는 싸락눈 속에 또 한
밤을 꼬박 새웠지. 눈 쓸어 내는 소리 있어 문틈 사이 바라보니, 모두
가 잠든 밤을 조용히 쓸어 내는 노승 한 분! 새벽 달빛 쏟아지는 대
웅전 뜨락은 화장 연화 세계! 스님은 빗자루 드신 아미타 부처이셨
지.

「저 분이다, 내 스승은…….」

결국 나의 은사되시어 내 머릴 깎이셨지. ㅍ사(寺)에 정착하여 행
자생활 시작됐지. 밥 짓고 빨래하고 나무하며, 어른 스님의 아궁이마
다 불 지피고, 대웅전 산신각 칠성각 각단마다 청소하고 자는 시간
모자라서 서서 자고 앉아 자고. 세월이 어찌 갔는지! 일 년쯤 지나고
보니, 지게망태 울러 맨 발걸음 가벼웁고, 지게작대 장단 맞춰 콧노
래 부를 여유도 갖게 되었지. 여유가 생겨 좋았으나, 보지 않고 듣지
말아야 할 것들이 보여지고 들려지며, 이해할 수 없는 모습들이 눈에
띄었지. 내 작은 가슴 작은 눈을 탓했지만, 그러나 절집이 내가 꿈꾸
던 그런 세계는 분명 아니었지.

가르침의 세계와, 부딪치며 사는 세계는 너무도 틀린 것을 알게 되
었지.

이곳도 사랑·미움·시기·질투 벗지 못한, 사바의 또 다른 귀퉁
이임을 알게 되었지. 벗으려 몸부림하는 사람들 모여 사는 하나의 집
단이었지.

어느 날 같은 시기 입산한 동생 같은 박 행자, 산문(山門) 출송당
하는 걸 보고 잠 못 이뤘지. S 사형패 T 사형패, 주지 자리 하나 놓고
사형 사제 반목하는 모습들, 와중에 상처받는 여린 영혼들! 절집 스
승은 영혼의 아버지요, 사형 사제는 영혼의 수족이라 생각했던 내 생

가, 하얀 어리석음이었지. 내 영혼 내 인생 맡기기엔 너무나도 그 울타리 여린 곳. 하산을 결심했지.

그날도 눈이 내렸지!

희적희적 내려오는 산길에, 쌓이는 눈만큼이나 몸과 마음 시렸지. 저만큼 아래에서 올라오는 어린 사미, 깡총깡총 뛰며 돌며, 혓바닥에 눈 받으며……

「김 행자님 손 갈라졌다더니 병원가요?」

「스님은 어데 갔다 오십니까?」

「헤헤. 몰래 오뎅 사 먹고 오는데 큰스님한테 얘기하면 안 되는 거 알죠…….」

허리춤을 뒤적뒤적 이리저리 헤치더니, 사각으로 접고 접은 천 원짜리 지폐 한 장 내 손에 꼬옥 쥐어 주며 말했지.

「김 행자님 어두워지기 전에 들어와유.」

미끄럼 타며 엉덩방아 찧고, 눈 속으로 손 흔들며 가는 모습 한 송이 꽃이었지. 어린 스님 용돈 받아 봐야 이삼천 원, 떡복기·오뎅 사 먹고 나면 남을 돈 없을텐데……. 부모 형제 떨어져서 낯선 곳에 들어와 스님 흉내내면서 크는 어린 사미들! 큰스님 되오소서 큰스님 되오소서!

집문 앞에서 초인종 누르려 손을 올리다 손바닥에 붙어 있는 사각으로 접은 지폐를 보니, 빙그르르 돌며 눈을 받던 그 천진불이 생각났지. 천진한 그의 눈엔 시시비비 보일 리 없었겠지? 주마등처럼 지나가는 뭇 상념들, 결국 초인종 못 누르고 돌아서야 했던 가슴.

사내가 칼을 뺐으면 호박이라도 베어야지, 많은 사람 가슴에 커다란 못 박아 놓고, 이 무슨 꼴인가! 동지 섣달 매서운 바람, 온몸 얼구어 가는데, 언 몸 녹이려 이름 모를 여관에 들어갔지. 어찌해야 할 것인가?

평상심이 도(道)라 하니 떼과부들 모시고서, 종손자리 지켜가며 그럭저럭 사는 것, 옳은 길 아닐런지. 아니지, 이대로 산다면 목에 걸

린 가시처럼 후회하며 살지 몰라! 이왕 큰 맘 먹었으니 도통하여 제
도중생해야 되지. 업(業)에 얽힌 떼과부들, 그들처럼 외로운 이! 절
집에서 싸우는 이들을 제도하여야지. 언 몸 녹이면서 깜박 졸았는가,
문 틈 사이로 돌아가신 당숙모님과 키가 크신 스님 한 분 들어오셨
지.

「조카! 큰사람되라 하였더니 이것이 무슨 꼴여? 빨리 일어나.」

숙모님 말씀 끝나자,

「애야 절에 보리수 심어 열매 열거든, 염주 만들어 많은 사람 나눠
주렴!」

키 큰 스님 알듯 모를 듯한 말씀 던지고 조용히 문 밖으로 나가시
는데 꿈인가 생시인가? 분명 몇 년 전 돌아가신 당숙모인데, 신기(神
氣) 있어 아는 소릴 꾀나 하셨던. 「조카 큰사람 돼. 큰일 할꺼야」라며
만날 때마다 입버릇처럼 말씀하시던 그 모습 그대로인데……. 벌떡
일어나 온길 되짚어 발걸음 옮기었지. 자욱자욱 밟히는 뜻 모를 서러
움, 산다는 게 뭣이기에? 산다는 게 뭣이관대? 하얀 산길 밤을 새워
걸었었지. 벙어리 삼 년 귀머거리 삼 년, 그래 보지 않고 듣지 말자.
누구의 잘잘못 챙기러 왔던가 내 공부하러 왔지.

같은 시기 입산한 행자들이 계를 받는다고 부산하다. 나는 누구 상
좌되느니, 내 스승은 누구이니, 서로 똑똑한 스승상좌 인연 맺으려는
모습 또한 사는 모습이었다. 주제넘은 생각이 들었지. 계 받으러 온
것이 아니잖은가? 도통하러 왔지. 그리고 계는 뭔가? 알고 지킬 수
있을 때 받는 게 아닌가? 견성해서 부처님께 직접 계를 받고 싶었지.
모두가 여유로운 모습들이었는데 나는 애가 탔지. 빨리 견성성불하
여 떼과부들 구제해야 하는데……. 주지스님께 방을 하나 달라고, 청
하는 만용을 부렸지. 계를 받고 몇 년이 되는 스님들조차 여럿이 모
여 사는 대중방 생활을 하는데, 스님도 아닌 행자가 방을 달라니, 기
막힌 일이었지.

「자네의 공부하려는 마음은 알지만, 여기에도 이곳 나름의 질서가

있네. 그리고 도(道)는 생나무 꺾듯 하는 것이 아닌데, 무애 그리 급한가?」

말씀은 고마웠지만 가슴에 닿지 않았지. 뒷켠 허무러져 가는 금당에 방이 하나 있었지. 말이 방이지, 방이 아니었지만 그 방이라도 쓰겠다니 알아서 하라시며 말씀하셨지.

「여보게 급하게 서두르는 것 또한 공부에 장애가 되지만, 한 번 목숨 걸고 용맹정진해 보는 것도 공부에 도움이 되네. 어느 스님은 화두 공부를 일 주일만에 타파했다니 자네도 최선을 다해 보게나.」

쩍쩍 갈라진 방바닥엔 볏짚을 깔고, 황소 눈구멍 만하게 숭숭 뚫려 있는 벽을 대충 바르고, 방석 하나 훔쳐다가 깔고 앉으니 온세상 내 것된 기분이라!

그러나 삼십 년만에 닥친 추위 땜에, 물단지가 얼어 터진 한겨울이라, 떨려 오는 몸뚱이를 감당하기 어려웠으나, 도통하겠다는 열정은 그런 대로 버틸 수 있는 힘이 되었지. 도저히 추워서 누울 수가 없었고, 서서 자고 기대자며 화두 공부에 몰두해 갔지. 어느 스님은 일 주일만에 화두를 타파하고 견성오도하였다는데 일 주일만에, 일 주일만에……나는 뭔가? 일 주일이 몇 번 지났는데도, 추위와 잠과 싸운 것밖에 아무런 진전도 없으니.

문제가 생겼지. 계도 받지 않은 행자가 대중생활에 벗어나 방을 차지하고 참선한다고 앉았으니, 건방진 놈은 뜨거운 맛을 보여 줘야 한다고, 행자들과 젊은 스님들끼리 의논이 있었다는 이야기가 들렸지. 뜨거운 맛이란 금강참회시키는 것으로, 이불 씌워 놓고 여럿이 달려들어 두들겨 패는 것인데, 병신된 사람도 있고 죽은 사람까지 있다 하니, 절집 참회 방법치고는 그럴듯한 것이었지. 나의 행동은 금강참회를 당하고도 남을 만한 것이었지만…….

그러나 그런 얘기들이 나에겐 아무런 두려움도 흥미도 없었고 견성오도는 제쳐 놓고라도, 이 겨울 한 철은 반드시 이겨 내야 한다는 생각으로 가득했지. 대중생활을 벗어났으니 먹는 것도 저녁 한 끼,

후원에 가서 훔쳐 먹듯 할 수밖에 없었고, 잠 역시 잘 수 없어 서서 버티니 온몸이 퉁퉁 붓고 누렇게 변해 갔지.

가까운 송 스님 들어와 보고, 「이거 큰일났네 이러다 죽겠는데 어찌하나」라며 시장 갔다올 때마다 몰래몰래 과일 통조림, 콩 통조림 심지어 쇠고기 통조림, 생선 통조림까지 사다 주며 「부디 먹고 기운 내서 도통하라고……」(아쉽게도 송 스님 환속하여 살지만, 그때 그의 보살핌을 잊을 수 없어, 지금도 가끔 만나며 지내지……).

어느 날 주지스님 당신이 쓰시는 조그마한 난로를 들고 오셔, 불붙여 주시며 걱정을 하셨지.

「이런 식의 공부는 잘못 되면 몸을 버리니, 몸 버리고 공부가 되겠는가? 계를 받고 선방에 가서 공부해도 늦지 않으니, 그만 대중생활로 돌아오라」는 말씀을 하셨지.

그러나 그때는 이미 머리에 화두가 붙어 버린 때이었고, 아무 얘기도 들릴 때가 아니었지. 큰스님들의 배려로 대중 공양에 참여하게 됐으나, 공양하며 실수가 연발이었으니. 빙 둘러앉은 많은 대중스님네 바루(밥그릇)에다 돌아가며 물을 따루어 올리는데, 화두 생각에 바루에 물이 넘치는 것도 모르고 노스님 옷자락을 버리기 일쑤였고, 국과 밥을 철철 넘치도록 한 스님 바루에 담고 또 담았으니, 보다 못한 노스님 한 분 「저런 미련한 놈! 물 따르고 국 푸는 것도 못 하는 맹한 인간이 어떻게 중 노릇을 할꺼야」라며 호되게 야단을 치셨지. 사실 꾸지람도 들리지 않았지. 난로마저 얼어 터졌으나 몸뚱이 얼어 터지지 않은 걸 보면, 부처님의 가호가 분명 없지 않았었지.

어느 날 방 안에서 왔다갔다 하며 다리를 풀고 있었는데, 벽에 붙은 불교신문이 보였고 유난히 크게 보이는 문구가 있었지.

「도는 아는 데도 있지 않고, 모르는 데도 있지 않지만, 또한 알고 모르는 것을 떠나서 있는 것도 아니니라!」 기분이 이상했지.

높은 산에 올라가면 귀가 막히고 잘 안 들리다가도 내려오면 뻥 뚫려 모든 소리가 들리듯 모든 게 들리고 환했지만, 설명할 수 없는 정적이 온 법계를 덮었었지. 평안함과 성성함과, 밝고 아늑한 고요 속에 한겨울을 보냈지. 고백하면 그때 도통했다고 착각을 했었지. 식(識)이 맑아지고 봄기운이 돌아 추위와 잠을 극복하게 됐으니, 거기서 오는 기쁨과 맑고 편안한 경계를 견성오도한 줄 착각하고 선지식을 찾아간다며 바랑 걸머지고 길을 떴지.

시련기

다리 괴고 앉은 마음 분명 부처였고, 도인이었지. 삼천대천 세계가 코 끝에 매달렸고, 우주법계가 숨구멍에 들락거려 신통자재(神通自在) 마음이니, 무엇이 부러우며 무엇이 두려울꼬!

주장자 떨쳐 짚고 버린 중생을 구한다고, 우선 먼저 떠나온 속가집을 찾아갔지. 그러나 이것이 웬일인가! 내가 산으로 떠난 뒤에 어머님은 알콜중독자가 되셨고, 집안은 풍지박산되어 끝내는 빚장이들 등살로, 야반도주하였단다.

저녁 연기 피어나는 마을길 굽이 돌아 외가 댁을 찾았으나, 몇 달을 빨지 않아 냄새나는 잿빛 옷에 더덕더덕 기운 외투, 박박 깎은 빈대머리, 외할머니는 그만 까무라치고 마셨으니…….

동리사람 모두 모여, 「아이구 쯔쯔쯔! 저 인물에 중노릇이 웬말이여!」 얼마를 지났는가 깨어 나신 외할머니, 다짜고짜 요강 단지를 집어 던져 머리에 붉은 피가 낭자한데, 핏물인지 눈물인지 볼과 입을 타고 내려 온 가슴 물들였지. 그날의 그 흉터는 아직도 머리에 남아 경책이 되곤 하지.

이놈아! 그꼴이 그리 좋아 청상과부 에미, 할미 미련없이 버렸드냐? 장손 노릇 어찌하고 종손 노릇 어찌하며, 중풍 걸린 네 할미는 어디 가서 찾겠느냐, 이놈아 이놈아! 인물났다고 애지중지 키운 놈이 그 꼴이 웬말이냐? 가거라, 이놈아!

네놈 한 몸 좋으려고 부모 형제 버렸으니, 큰 중놈되거들랑 땅 속에 묻혔어도, 이 헬미 맺힌 한을 기어이 풀어다오. 가거라 가거라, 이 몹쓸 놈아! 세상을 한마음에 주무르던 대장부는 어디 가고, 회한에 떠는 나약한 사내의 오열만이 빈 하늘 울리었지.

분명 부처였고 온 법계가 내 품에 있었건만, 그건 아무런 힘도 없는 망상 속의 자아선정, 말라 버린 지혜 껍질, 자아도취 꿈이었지.

십 년을 앉았은들, 백 년 동안 벽을 본들, 자아도취 망상선정 누구 영혼 구할건가, 누구한테 속은 거냐, 부처야 나와 봐라, 조사야 나오너라!

내가 죽든 누가 죽든 간에, 다시 한번 뚫어 보자! 걸망 울러 매고 산길을 오르는데, 가을새 울음소리 왜 그리 슬펐던지…….

아무리 용을 써도 도(道)는 순리인데, 어거지 육단심이 통할 수 없는 것을 결국은 무서운 상기병에 걸리고 말았으니, 승려의 수행생활 이것으로 끝이 났지. 중노릇도 끝이고 속가연도 끝났으니 갈 곳은 뻔한 곳, 자살을 결심했지. 깊고 깊은 산속으로 소주 열 병을 울러 매고 죽으러 가는 젊은 승려! 모두 다 마셔 버리기로 했지. 소주도, 청상의 떼과부도 누이도 형제도, 내가 버린 여인마저 다 마셔 버렸지.

아래를 내려 보니 오리무중 캄캄한데, 취한 몸을 못 가누고 낭떠러지로 그냥 떨어져 버렸으니…….

얼마쯤 지났을까? 오싹한 한기 느껴 눈을 뜨고 보니, 하늘엔 별들이 빛나고 달빛은 요요한데 극락인지 지옥인지 구별이 안 되었지.

극락일 리 만무한데, 볼따귀를 꼬집어 보니 아픈 것이 분명했어. 떨어진 곳, 수북한 낙엽 위니 몸뚱이가 멀쩡했지. 죽음마저 마음대로 되지 않는 이 인생은 무엇인고?

내 몸뚱이 죽이는 것, 그것마저 못 한다면 내가 할 수 있는 것은 무

74

엇이란 말인가? 늦가을 싸늘함이 온몸을 스미는데, 죽을 수도 없는 운명, 서러움만이 뼛속까지 스몄었지.

누가 이기나 다시 한번 해보자! 죽을 힘이 남았으니 다시 한번 뚫어 보자. 상기병이 머리 위로 올라가, 머리가 터진들 무슨 여한 있단 말인가?

마을로 내려와 우유 몇 통 사들고서 평소에 보아 둔 김씨 사당에 들어갔지. 집은 낡아 마루창이 구멍 나서 초겨울의 시린 바람 온몸을 떨게 했지.

가부좌를 틀고 앉아 무자화두 들어 보니 화두는 간 데 없고, 내 인생이 서글프고 산다는 것 서러울 뿐, 화두 깨면 무엇 하고, 도통하면 무얼 하나? 망상만이 집을 지니, 이것 또한 서러운데 우유도 떨어지고 물도 떨어지니 기운마저 떨어져서, 온몸이 모두 얼어, 대소변도 안 나오게 되었으니…….

며칠을 지났을까? 몇 날을 굶었을까? 손끝 발끝 모두 얼어 두꺼비 손 삼손 같고, 눈은 부어 통방울에, 귀까지 막혔으니 들리지도 않게 됐지. 이제는 죽었구나! 동상 걸린 이 몸뚱이 뼈 마디마디 썩을 것을, 이제는 끝났구나 생각하니, 장부의 한세상 참으로 초라했지. 사랑해 보지 못한 서러움도, 뜻 한 번 펴지 못한 사내의 눈물도, 나 하나 희망이던 떼과부들까지. 모두 다 놓고 나니 어찌 그리 편안한지. 무념이 무엇이고 무상이 무엇인지. 그런 것 모른데도, 모두 다 놓고 나니 이렇게도 편한 것을.

그러나 산다는 것도 어렵지만, 죽는 것은 더 어려웠으니…….

사당에 퉁퉁 부은 문둥이가 산다고 어느새 소문 나서, 김씨 집안 동리 사람 몽둥이를 치켜 들고 한밤에 들이 닥쳐 불문곡직 때리는데, 아픈 마음은 어데 가고 시린 마음 어데 갔는지. 아무런 감각없이 그대로 맞다 보니 때리는 이들 제풀에 지쳐 몽둥이를 던지는데, 늙은 내외 내 얼굴에 호롱불을 비춰 보고 「아이구매! 문둥이가 아니고 도 닦는 스님이네! 스님을 이렇게 때렸으니, 이 죄를 어찌할꼬 이 죄를 어찌할꼬!」했지.

얼고 찢긴 몸뚱이를 구들방에 누이고서, 뜨거운 물로 찜질하고 말린 쑥으로 뜸질하며 발 끝마다 손 끝마다 콩 주머니 달아 매며, 「에미타불 이 스님 살려 주오! 에비타불 이 사람 살려 주소!」

동리 사는 수의사가 몇 번이나 오가더니, 온몸이 동상이라 뼈가 썩어 죽는다고, 미련없이 나갔었지. 그러나 이 마음 어찌 그리 편안한지, 그저 우습고도 우스웠지.

아미타불 애미타불
아직 나이도 어린데, 살려 주소 살려 주소!
자식 없는 우리 내외 자식 새끼 삼으려오!
산신님들 칠성님들! 이 사람 살려 주오.

목마르게 애원하는 촌로의 정성들이 하늘에 닿았던가, 하루하루 지나자니 썩어서 문들어질 시커멓게 얼은 살들이 뽀얗게 살아났지. 눈 뜨이고 귀 트이고 마음마저 살아나니, 이 생명을 어찌할꼬! 부처님 다시 주신 이 생명을, 어찌하오리까 어찌하오리까? 자욱자욱 향 사르고, 마디마디 뼈를 갈아, 가는 곳곳마다 불법을 심으리다. 한 방울 핏물까지 고이고이 뿌리어서, 말법시대 오탁악세 보리심을 일구리다. 올올이 태워서 이 목숨 다하는 날, 그대 위해 소신공양하오리다 소신공양하오리다!

수행공덕

　스님 앞에 삼배하고 다소곳이 앉은, 여인의 손끝이 가늘게 떨고 있었다. 무슨 어려운 말을 하려는 것일까? 항시 접하는 일이지만 가끔은 긴장이 되기도 한다.

　「스님의 가르치심 덕분에, 어려운 고비를 슬기롭게 넘겼습니다. 진심으로 감사드리고 싶어, 이렇게 찾아뵙게 되었습니다.」

　좀 부드럽지 못한 분위기였지만, 그녀의 이야기는 가늘게 이어져 갔다.

　스님! 모든 사내들을 다 못 믿어도, 제 사내만은 믿을 수 있다고 장담하던 여인이었습니다. 그런데 어느 날, 전화 한 통을 받게 되었습니다. 내용은, 제 남편이 자기네 아래채에 여식 아이를 숨겨 놓고 살고 있으니, 아이들 교육상에도 문제가 되고, 같은 여인의 입장에 두고 볼 수도 없어 귀띔하니, 알아서 처리하라는 내용이었습니다.

　너무 엄청난 얘기라, 도저히 믿기지 않았지만, 확인할 수밖에 없었고, 불행히도 전화 내용이 사실이었습니다. 어려울 때일수록 침착하라는 말씀에, 어떻게 대처할까를 숙고하였습니다.

　결국 처녀를 다방으로 불러, 자초지종을 들어보기로 했습니다. 남편에게는 알리지 않겠다는 약속을 받고 별의별 생각을 다해 보았습니다.

먼저, 만나면 다짜고짜 머리끄뎅이를 잡아 흔들까, 아니면 낯짝을 확 할켜 볼까, 아니면 질근질근 씹어 놓을까? 나무아미타불 지장보살, 지장보살! 그러나 만나는 순간, 막내 여동생보다 여리고 파랗게 질려 있는 그 아이 모습에서 다른 생각보단 먼저 가슴이 아려 왔습니다.

할 말이 없어 그냥 종교가 뭐냐고 물었더니, 들릴락 말락한 「불교예요」라는 대답 소리. 왜 그리 마음이 저렸던지…….

한 사내를 가운데 놓고 아파하는 인연으론, 다신 만나지 말자는 말이 저절로 나왔습니다. 그리고 떨고 있는 아이 손을 꼬옥 잡아 주고 돌아섰습니다. 자신도 이해되지 않는 행동이었지요. 제 자신마저도 모르는 사이, 배어든 신앙의 힘이었음을 얼마 지나고서야 알게 되었습니다.

몇 일 안 되어, 그 아이의 전화를 받았습니다. 멀리 떠나 새 생활을 찾겠으니 걱정하지 말라는 말과 덧붙여, 불자답게 살겠다는 말.

스님! 신앙을 갖지 않았더라면 그녀를 만났을 때, 저도 모르는 그런 행동이 나올 수 있었을까요? 삼사 년 동안 법회를 빠지지 않고 듣고 배웠던 그 공덕, 그 힘이 저도 제 남편도 그 아이도 살리는 힘이 된 것이라 생각하기에, 참회하는 남편의 허락을 얻어 부처님과 스님께 고마운 인사올리려 찾아온 것입니다.

참으로 기쁜 고백이었고, 가슴 뿌듯한 얘기였다. 두 사람이 머리 쥐어뜯고 추한 인연 지었다면, 이런 아름다운 이야기를 들을 수 있었을까? 자신도 모르는 수행의 힘은 자신도 모르는 지혜로, 아픈 매듭을 쉽게 풀 수 있었으니…….

지식과 지혜

대인아!

인도에 뛰어난 천재가 살고 있었단다. 그러나 그는 교만방자하여 자신이 한 말과 행동에 대해 전혀 책임을 질 줄 모르는 안타까운 젊은이였단다.

좋은 머리를 좋은 곳에 쓸 줄 모르고, 주색잡기에 시간을 낭비하고 있었단다. 그날도 궁궐에 몰래 들어가 궁녀를 희롱하다 잡히고 말았는데, 궁녀를 희롱한 죄는 즉시 죽음을 당하게 되어 있었단다. 그 나라에선 스님을 나라의 스승으로 존경하고 받들기에, 사형수라도 스님이 필요하다면 두말없이 넘겨 주어 새 삶을 살게 하는 좋은 관례가 있었단다. 평소 그의 재능을 아까워하던 스님 한 분이, 그 청년을 구해 주게 되었단다. 그러나 이 교만한 젊은이는 고맙다는 생각보단 자신의 명(命)이 다하지 않았을 뿐이지, 뭐 그리 은혜로울 게 있느냐는 식이었지. 방자한 마음은 도를 넘어, 제 목숨 살려 주신 스님의 학덕을 저울질해 보기로 마음먹고, 스님의 방문 앞에 이르러 하는 말이 가관이었단다.

「스님, 저를 개과천선시키시어 제자 삼으시겠다고 살려 주셨다는

데, 저는 전혀 스님을 스승으로 모실 생각이 없습니다. 그러나 스님께서 제 세 가지 질문에 답하실 수만 있다면 하라시는 대로 하겠습니다.」

「제가 지금 스님방 문고리를 잡고 있는데 열고 들어갔겠습니까, 말겠습니까?」 스님 묵묵히 계시더니 하는 말씀, 「내가 들어오라 하겠느냐, 말겠느냐?」 문을 열고 들어온 젊은이, 스님 턱 밑에 앉아 기어가는 개미를 손가락으로 집어, 「스님! 제가 이놈을 죽이겠습니까, 살리겠습니까?」 하자 스님은 「내가 네 말에 대답을 할 것 같으냐, 말 것 같으냐?」라고 말한다. 「스님 제가 일어나 나가겠습니까? 더 앉아 있겠습니까?」 하자 그때 스님의 벽력 같은 「일갈」이 젊은이의 가슴을 후려치고 말았단다. 미련한 축생도 은혜를 아는데 항차 인간이 살려 준 은혜는 그만 두고라도, 아무짝에도 쓸모 없는 지식나부랑이로 어른을 우롱하니, 네놈이 어찌 인간이라 하겠는가!

지식이란 쓰는 자가 사악하면 독과 같은 것이요. 잘못 배우면 오히려 고통스런 번뇌 망상의 비듬조각 같은 것일진데, 아무짝에도 쓸모 없는 더러운 비듬을 보배인 양 자랑하니 세상에서 가장 불쌍한 어리석은 놈이구나!

이 어진 스님의 가르침은 구구절절, 젊은이의 가슴을 울리어 개과천선의 기회가 되었단다. 그 젊은이는 그 후 노력에 노력을 거듭하여, 세상의 모든 승려들이 우러러 받드는 대승불교의 아버지, 팔종(八宗)의 조사가 되었단다.

대인아!

비유하여 지식이 네가 배우는 컴퓨터의 정보 같은 생명 없는 부호라면, 지혜는 피땀 흘려 체험된 살아 있는 힘 같은 것이 아니겠니? 그러나 대인아, 지식 역시 쓰는 사람에 따라 지혜의 칼이 될 수도 있으니, 세상에 이로운 지식들, 열심히 배우려무나.

스님도 용맹정진하여, 세상도 사람도 단번에 알아 버릴 큰 지혜 배우련다.

포교승의 병통

스님들 사이 오가는 은어(隱語)가 있다. 예를 들면 「술」을 곡식으로 빚은 차라 하여 곡차, 화투놀이를 경(經)을 보는 것에 비유하여 화엄경 법회를 본다 하고, 소·돼지고기를 도끼로 다듬은 나물이라 하여 도끼부(斧) 도끼월(鉞) 나물채(菜) 해서 부월채(斧鉞菜)라 하고, 닭고기를 울타리 뚫고 다니는 나물이라 하여 뚫을 천(遄) 울타리 리(籬) 나물 채(菜) 해서 천리채(遄籬菜)라 부른다. 또 열심히 수행하여 신통을 얻었다고 당당히 말하는데 알고 보면 복통, 요통 등을 일컬음이니 웃지 못할 이야기다.

그러나 여기서 말하고자 하는 것은 은어가 아니라 젊은 청춘과 정열, 인생의 모든 것을 다 바친 결과가 신통(神通)이 아닌 병통(病通)으로 표현되는 승려들의 아픔, 특히 포교승의 아픈 편린을 짚어 보고 싶은 것이다. 구법망구(求法亡軀)란 몸을 버려 법을 구한다는 뜻으로 전법구도(傳法求道)를 위해 몸을 버릴 각오와 그 정신을 요구하는 말이다.

식도락을 넘어 몸에 좋다면, 구더기마저도 꿀꺽해 버리는 요즘 세상에, 몸이 지탱될 만큼만 음식을 먹어야 하는 절집의 식생활이 다른 세계 사람들의 이야기로 들릴 수 있겠으나.

이 글을 쓰는 승려마저도 하루에 두 끼를 제대로 먹기 힘든 시간을 쪼개 쓰는 포교승이고 보니, 오장에 영양이 충분히 공급될 리 없고 「산빛」 푸른 눈을 지니기엔 무리일 수밖에 없다.

이제 겨우 포교생활 십여 년 남짓 되었으나 선배스님 중 간이 반쪽, 폐가 반쪽, 장도, 위도 반쪽씩밖에 없다는 포교승의 병통(病通) 아니 신통(神通)을 공감하지 않을 수 없게 되었다.

포교승이 많은 병을 지니게 됨은 비단 식생활 문제 때문만은 아닌 것이다. 포교승이 되려면 양쪽 귀를 통하도록 뚫어야 한다고 이른다. 오른쪽 귀로 들은 소린 왼쪽 귀로, 왼쪽 귀로 들은 소린 오른쪽으로 흘러 보내야 하며, 오장육부에는 스폰지나 철판을 입혀 충격을 완화시켜야 산다는 웃지 못할 아픈 현실이 되고 보니, 오장육부는 썩고 제대로 휴식하지 못하는 몸뚱이는 많은 충격과 고통을 감내하기에 숱한 병을 지니게 되고 만다.

도통했다는 말이 신통 아닌, 온갖 병을 얻은 병통의 의미로 쓰여지고 있음을 이해하리라.

경우에 따라 곡차도 마셔야 하고 천리채, 부월채도 뜯어야 하는 포교승의 일상에서 자신을 지키며 전법하기란 어려움 중에 어려움이 아닐 수 없다.

경허 스님이나 진묵 스님 정도의 도력을 지녔다면, 술독에 빠져서라도 자비방광을 하겠지만, 우리 같은 작은 포교승은 막행막식하지 않는 것이 포교의 원칙 중 하나라 믿기에 영양 섭취의 부족과 휴식하지 못하고 받아야 하는 인간적인 스트레스는 천리통·천안통 등 6신통(神通) 대신 복통, 요통 등 6병통(六病痛)의 아픈 병을 지니게 됨은 어쩔 수 없는 또 하나의 아픔이 된다.

말법시대 오탁악세에는 악법비구와 계를 파한 승려가 나온다고 지장십륜경에 예언하고 있다.

그러나 계를 파한 승려라도 삼보의 하나로 귀의하되, 직접 가르침은 받지 말며 또 속가법으로 치죄하거나 단죄하지 말도록 이르고 있다. 그 이유는 소가 죽었어도 남긴 우황은 사람을 살리고, 사슴이 죽었어도 사향을 남기어 중생을 구제하듯, 계를 파한 승려는 이미 죽은 승려이지만 그 모습은 부처님의 자비를 생각케 하고 귀의하고픈 생각 등을 일으키게 하는 열 가지 공덕이 있으니, 멀리서 귀의하라 이른다.

토끼뿔 같은 명예와 치부 때문에 수행자의 본분마저 잃어버리는 승려가 있는가 하면, 몸을 버려 법을 펴는 아름다운 스님들이 계시니, 너무 걱정할 일만도 아닐 것이다.

모든 포교승이 복통·두통 온갖 병통을 다 지니더라도 전법구도를 위해 병통을 얻었다고 당당히 말할 수 있을 때, 신라 천 년의 불교장엄을 다시 보게 되리라!

여보게 도우(道友) · I

여보게 도우! 사십 고개를
누군 불혹(不惑) 고개라 한다는데
내겐 망령 고개인 것 같으이.

엊저녁 소꿉시절 순이 만나
장가 가서 자식 낳고 장엄하게 살았다네.
깨고 보니 꿈이었어!

오늘 아침 면도칼 계사 삼고
비누덩이 증사 삼아
삭발하고 다시 출가하였다네……!

여보게! 아무래도 이 승려, 나이를 꺼꾸로 먹는 것 같으이, 안 그
런가? 이 나이면 한 곳 산 주인되어 깃발 높이 달고 법(法)자락 휘날
리는 당당한 스님 모습 지녀야 할 판인데, 아직도 이 마을 저 고을 이
나라 저 나라를 헤매고 있으니……! 그러나 큰스님 되고 싶진 않으

이. 솔바람 댓그림자 벗하며, 유유자적 하는 산중(山中)의 멋진 스님도 원치 않으이. 견성성불(見性成佛) 하긴 더욱 원치 않고, 그저 이웃 사랑하구, 나보다 추운 이 위해 내 몸을 던질 수 있는, 그런 인간으로 살다갔으면 하이!

여보게 도우!

들녁에 가을이 익어 감도 모른 채, 결실의 문턱에 서고 말았네. 중의 살림살이 뭐 거둘게 있겠냐만, 이 나이 되고 보니 되돌아보는 아쉬움 이네!

참으로 많이 뿌렸던 봄이었고 뜨겁게 익은 여름이었는데……. 이제 숨돌려 제모습 거둘 계절이 되고 보니, 콘크리트 숲의 포교승, 그저 간절히 기원드릴 뿐이네.

스님되게 하소서!

스님되게 하소서!

나와 네가 둘 아니라, 너는 나의 그림자이고 나는 또 너의 그림자임을 아는 스님되게 하소서!

여보게 도우(道友)·2

산속에 들어가 다시 나오지 않겠다는 자네의 심정, 이해 못 하는 바는 아니라네. 그러나 자네 같은 포교승의 자질을 지닌 사람이, 산중에 들어 앉는다는 것은, 서운함을 넘어 외로움과 아픔이라네. 정중(靜中) 공부 십 년보다는 동중(動中) 공부 일 년이 더 힘있다고 한 말, 바로 자네의 격려가 아니었던가? 따지고 보면, 산중(山中) 공부나 시중(市中) 공부나 낫고 못함이 어디 있겠나. 토굴에 묵묵히 앉아 있어도 눈 푸른 수행의 향기는 바람도 거슬러 어둡고 외진 구석까지 방향(放香)을 하는데…… . 자네에게 산중(山中) 공부가 맞아 용맹정진의 기회가 된다면, 그 또한 포교가 아니겠는가!

그러나 여보게!

불교도 이제는 구태를 벗고, 다시 나야 한다고 열변을 토한 게 누구였는가? 산중 불교의 잘못된 부분을 과감히 인정하고, 큰스님 장삼 자락이나 스님네들 뒷통수에 절이나 하고 돌아서는 무식불교 내지, 부처님 말씀보다 선가의 스님네 어록이 더 큰 비중을 차지하는 변형된 불교에서 반드시 벗어나야 한다고 했지, 기억하겠나?

여보게나! 불자들의 자기 종교에 대한 무지함과 그 입방아, 시기

·질투·변덕 등 도가 지나치면 중상모략까지……포교승에겐 기본적으로 넘어야 하는 고비가 아니던가?

그러나 그러한 모든 것들이, 나를 키운 채찍이요 자극이었음을, 자네 익히 배운 바 아니었던가.

여보게, 이 나이에 두려운 것 뭐 있겠나만, 나 역시 신도들에 대한 애정이 떨어질까 그것이 두렵다네!

산속에 버티고 계신 큰스님네도 계셔야 하겠지만, 괴롭게 사는 이웃들의 벗이 되어 줄 포교승이 절실히 필요한 시대라네. 생각보다 많은 이웃들이 따스한 진리의 손을 필요로 하고 있다네. 물질이 행복과 직결되지 않음을, 일깨워 줘야 할 시기이고 보니 포교승이 가장 필요한 때가 아니겠는가! 다 부질없는 것이라 선답(禪答)을 한다면 할 말이 없겠으나, 부질없는 것이 부질 있는 것이고 부질 있는 것이 부질없는 것임을, 우린 잘 알고 있잖은가…….

한 번 더 생각하길 간절히 부탁하네!

스님과 순사

울면 순사가 잡아간다는 말이 거부감보다 향수를 느끼게 하는 것
은 어린 시절 포근한 할머니 품에서 들었던 아련한 추억이 있기 때문
이기도 하나, 나에게 또 하나의 이유는 승려 생활을 하면서 어려울
때마다 순사의 도움을 받게 되는 묘한 인연들이 있었기 때문이다.

그 첫번째 도움은 참으로 잊지 못할 추억이다. 이 어설픈 승려를
짝사랑하다 사랑이 미움되어 자신의 일기장에 아름다운 상상을 모두
적어 놓고 어느 여학생이 자살 소동을 벌였으니, 꼼짝 없이 죄 없는
중 하나 옷을 벗는 곤욕을 치를 뻔 했는데 김 형사라는 지혜로운 순
사덕에 누명을 벗게 되었다.

두번째는 「가」라는 작은 절에 있을 때 일로, 배우지 못한 청년들
모아 간이 학교를 운영하다, 시기하는 무리들의 무고로 간첩 아닌 간
첩되어 어려움을 겪는데, 박 형사의 도움으로 곤욕을 면했다.

세번째는 「ㄱ」이라는 곳에서 포교당을 만들어 지장신앙을 선양하
다, 같은 옷을 입은 사람들에게 사이비로 몰려 힘든 시련을 겪는데,
손 형사의 도움으로 벗어 나게 된다.

네번째는 절 지을 땅을 구하지 못하고 있었는데, 생각지도 않은 송

형사라는 순사가 나타나 땅을 구해 주니, 어찌 순사들과의 만남을 우연의 소치라고만 돌리겠는가!

모두가 잊지 못할 인연들이라 감사하고 감사하지만, 특히 사직서까지 내놓고 중상모략에서 이 못난 중을 지켜 주려 했던 손 형사! 젊은 혈기에 두 주먹 불끈 쥐고 분노하면서도 끝까지 인내하던 그의 모습을 잊을 수가 없다.

나는 그를 통해 나 개인의 고마움은 물론, 아직도 이 땅에 인간에 대한 믿음과 직업에 대한 긍지를 지니고 사는 순사가 있음을 알게 됐고, 어느 직업이든 어느 계층이든 서로 믿고 사랑하며 살 수 있다는 희망을 갖게 되었다.

일선 포교를 하며 앞서 간다는 외로움이 하도 아파 몇 번이고 포기를 하려 했지만, 그들과 잡았던 뜨거운 손길들이 스승되어 오늘에 이르렀다.

경찰 제복만 보아도 손을 흔드는 버릇을, 이 글을 보는 제자가 있다면 이해하리라. 알고 보면 모두가 스승이니, 사람 잡는 순사도, 후벼 파는 기자도, 질투하는 동료도, 모략하는 적군도 모두가 나를 키우는 스승인 것을……

미국 단상

얼마 전 미국엘 다녀왔다. 미국 나라하고는 인연이 박했던지 학창 시절 한 번 갔을 때도 아픈 추억만을 안고 돌아오게 되었는데, 이번 에도 역시 공항에서 달갑지 않은 추억을 만들게 되고 보니 미국에 대한 인상은 별로 좋지가 못하다.

그러나 좋지 않은 감정은 개인적인 것이고, 미국땅은 분명 축복받은 곳이다. 땅 밑에는 한없는 보고(寶庫)가 천연 그대로 숨쉬고, 땅 위의 모든 것들은 거의 자연상태로 보존되어 있었으니, 있는 그대로 보존하려는 그들의 노력과 의지가 얄밉도록 부러웠다. 특별한 곳 몇 군데 빼 놓고는 그 넓은 땅이 그대로 공원이었다.

그러나 부러워하지 말라! 정직이 통용되는 그 사회에서도 유다가 예수를 팔 듯, 서로가 서로를 판다. 분명 축복의 땅이건만, 서로가 서로의 가슴에 칼을 꽂는다. 법과 질서가 지켜지는 사회인데, 그곳에 총격이 벌어지고 경관이 버젓이 서 있는 곳에 사람의 목숨이 달아난다.

흑인의 빈민가 할렘에는 그들 노래마저 신음이 묻어나고, 매음의 악취에 사랑이 썩고 있다. 마약과 알콜이 춤을 추는 무법의 거리엔

영혼마저 헐어 가고 아이들의 눈망울엔, 흐느끼는 굶주림이 묻어 난
다.

애기가 나왔으니 디트로이트 공항의 추억도 이야기하고 싶다.

인도네시아의 수도 자카르타에, 불교 교육회관 공덕원 분원을 개
설하고, 타이페이·싱가포르·도쿄 등 몇 나라에 분원 개설의 가능성
을 돌아보던 차에 미국에 당도하게 되었다. 도착한 것이 미시간주 동
남부, 세계 최대의 자동차 도시로 유명한 디트로이트였다.

자카르타·타이페이에서는 일본의 닌자로, 싱가포르 도쿄에서는
쿵후의 사부로 대접받던 내 모습이 미국에선 마약 밀매자로 격상되
어 몸수색까지 당하는 추억을 만들게 되었던 것이다. 오는 비행기가
제트 기류를 만나, 아비규환의 난장판 소동 덕분에, 찢겨진 옷자락,
대충 닦았지만 앞뒤로 묻어 있는 케찹과 토마토 쥬스 등. 거기다 빡
빡 깎은 빈대머리 모습은 틀림없는 한국계 펑크족 마약밀매자로 점
찍는 영광을 안게 되는데, 돌아온 여정마저 밀매 코스였다니…….

공항 구석방에서 몸 곳곳을 수색당하면서, 세 시간 동안 실갱이를
하다 보니, 스님의 인욕에도 한계가 있는 법!

「요놈들 코쟁이 맛 좀 봐라!」짐가방 풀어 헤쳐 장삼 수하고 가사
둘러 정좌하여 묵언의 합장 시위를 하였더니, 앞뒤로 훑어 보고 위
아래 재보던 맥가이버 닮은 마약단속원들, 「sorry sorry」연발 하며
슬금슬금 도망치고 세관원 정중이 사과하며 설명하는데, 삼 일 전 한
국인 마약범과 총격이 벌어져 여러 명 다치고 세 명이 검거됐다는 이
야기.

가사 장삼에 배어 있는 부처님 위신력, 미국에서도 증명됐으니 서
운한 마음 내려 놓고 자리를 떴다. 이십여 시간 비행기를 타는 고통
은 좌선공부보다 더 힘들었다. 그러나 다시 또 한 시간 반 정도 비행
기를 타고, 버지니아 비치에 도착했다. 마중나온 동생부부(속가)와
오랫만의 해후 때문인지 기분은 가라앉고, 동생집까지 가는 거리의
풍물도 우리나라 시골 분위기와 비슷하여 아늑했다.

동생이 고국을 떠난 지 7년여!

맨손으로 넘어온 그들이, 이루어 놓은 것은 피와 땀이었으리라!

작은 수퍼마켓을 한다기에, 구멍가게로만 생각했던 나에게 눈이 번쩍 뜨이는 기쁨과 흐뭇함을 안겨 주었으니, 폐쇄회로 감시경보 시스템이 되어 있는 큰 만물 백화점이었다. 더욱 흐뭇했던 것은「형님! 모두 형님 덕분입니다. 항상 저희들을 위하여 기도해 주시고 염려하여 주신 힘이 저희를 요만큼이라도 성공하게 만드셨습니다」라며 진심으로 감사하는 모습에서 외적인 성공만이 아니라 내적으로도 커다란 성숙이 엿보임을 확인하며 눈시울 뜨거워짐은, 나에게 막내동생이요 코 흘리게 말썽꾸러기로 언제나 염려되고 걱정스러웠던 아우였기 때문이었으리라!

더욱 미안하고 가슴 아팠던 것은, 그들이 떠나면서 오십 만원만 도와 달라고 간절히 청했을 때 개인 돈이 아니고 절[寺] 돈이기에 사사로이 줄 수 없다고 냉정히 거절한 얄량한 형을, 서운함으로 받아들이지 않고 사랑의 채찍으로 삼은 그들의 마음가짐이었다.

「형님 꼭 만나주셔야 할 교포가 있습니다. 성공하여 부러운 것 없으나 이 년 전 맞이한 한국 며느리 때문에, 몹시 힘들어 하고 있습니다. 일 년 전부터 새댁의 행동이 이상스레 변하고 있답니다. 식구들의 돈을 훔치기 시작하더니 갈수록 심해져 가게나 수퍼에서도 훔치게 되었고, 못하게 하니 방 안에 틀어 박혀 아무도 만나려 들지 않으니 걱정이랍니다. 귀신들렸다 해서, 안수기도도 수없이 받았지만, 더 심해져서 이젠 남편마저도 기피한답니다. 스님을 꼭 뵙자는 전화가 계속 오고 있으니 어쩌면 좋겠습니까?」

긴 설명이었다. 초대되어 귀신 붙은 새댁을 만나러 갔는데, 신랑도 무섭다고 피하던 사람이 정신없이 뛰어나와 스님을 붙들고 울기 시작하는데, 알고 보니 대학시절 불교모임 회장도 했고 어린이 지도교사까지 한 인연이 있었으므로 스님을 보는 순간, 그동안 쌓인 서러움과 아픔들이 눈물로 쏟아져 나왔던 것이다.

남편은 한국인이었지만, 전혀 한국인의 사고가 없는 미국인이었고, 분위기나 주위의 모든 여건들이 새댁에게는 맞지 않았던 것이었다.

부유하다 보니 할 일 없고, 외롭고 답답함이 우울증을 불렀으며, 월경 때가 되면 자신도 모르게 도둑이 되고, 알고 나선 후회하고 문 밖에 나가지 않으려고 몸부림하다, 결국 남편마저 기피하는 대인공포증에 걸리고 만 것이다.

짧은 여정이었지만 일부러 삼 일 동안 시간을 내서 그녀와 대화를 가졌고, 자연스레 마음이 안정되니 거짓말같이 제자릴 찾게 되었다.

감사의 표시라며 일반표 값보다 몇 배가 더 비싼, 제일 좋은 비행기자리(훠스트클라스) 표를 선물받아 편안하게 돌아오게 되었지만, 참으로 기쁜 것은 그 새댁이 미치지도 귀신들리지도 않았다는 사실과, 왜 그렇게 되었는지를 식구 모두가 파악하게 된 점이다.

지금도 이 주일에 한 번 꼴로 전화가 와서 전화법문을 들려 주곤 한다.

아무리 좋은 환경이나 조건도 마음에 맞지 않으면 병이 되니, 모든 것이 마음의 조작이요, 마음의 그림자라는 말씀 백 번 옳음이로다……!

배웅하는 이들 못 들어 오는 케네디 공항 창가를 따라 돌며 「형님! 스님이시지만 집안의 기둥이시고, 저희들 의지처이오니 건강하세요. 부디 건강하세요」라고 말한다. 코흘리게 말썽꾸러기 그가 커서 나를 걱정해 줄줄이야…….

또 하나의 만남

천주교인이었던 나는 반야심경이란 책자로 인연하여 불교를 접하게 되었고 대승기신론소라는 책을 읽고 개종을 결심했으며, 육조단경과 보조어록을 보고 입산을 결행했다.

우습게도 책을 인연하여 승려의 길을 가게 되었으면서도 입산하고부터는 불자라면 모두 수지독송하는 천수경마저도 보지 않았으니, 그 이유는 곧바로 참선의 화두 공부(이미 고정관념이 되어 버린 자신의 모든 편견이나 사견, 내지 사상적 알음 알이를 철저히 부수고 녹여, 새롭게 태어나는 방법)에 매달렸기 때문이었다.

참선 공부로 수행의 방향을 잡다 보니, 책을 철저히 멀리하는 입장이 된 것이다. 그러나 뒤에 보니 선가(禪家) 쪽의 책들인 《조사어록(祖師語錄)》이 석가부처님 사십구 년 설법하신 경전 못지 않게 많다는 사실도 알게 되었다. 「불립문자 직지인심 견성성불(不立文字 直指人心 見性成佛)」, 위의 열두 자의 문자가 부처님의 가르침인 교리(敎理)를 의지하지 않고, 참선의 직관에 의해 부처님의 깨달은 세계에 도달하려는 선종의 교의(敎義)이지만, 문자를 세우지도 빌리지도 않는다는 선종의 책자들이 수만 권에 이르니, 깨달음의 세계가 문자에 있는 것이 아니지만, 문자를 떠나 있는 것도 아니라는 말씀이 지당하다 해야겠다. 크게 깨달으신 선종의 선사일수록 많은 시문을 남겼으니…….

한때는 선(禪)과 교(敎)의 갈림에서 갈등이 있었으나, 결국 선이 교요, 교가 선임을 알게 되는 시기를 맞이하게 되었다. 바로《지장삼부경》이란 세 권의 경전을 통해, 내 작은 선정의 세계가 대선정 삼매에 접하게 되고, 불보살의 원력세계에 동승하는 계기가 되었다.

무한한 과거로부터 계속된 숙업이 우리 의식 밑바닥 깊숙히 숨어서 작용하고 있는 자아관념 내지 집단 무의식, 이것이 바로 미혹의 원천이며, 끝 모르는 생사의 근원임도 알게 되었다.

이러한 자아관념이나 무의식이 다리 괴고 앉아 코 끝을 보는 작은 선정에 의해 완전히 부서져 녹아 내린다고 생각한 것이 얼마나 큰 어리석음이었는가! 선정이 자기 힘에 의한 자아도취의 선정이 될 때, 아무리 수행을 깊게 해도 근본적인 자아관념이나 집단 무의식 세계는 건드려 보지도 못한다는 사실을 접하게 되었으니. 왜냐하면 자아선정은 자아관념이 더 심화된 채로 가라앉아 있는 상태이기 때문이다.

참선을 했다는 일부 선사들이 괴이한 옹고집으로 변해, 포용과 자비 등 보살의 마음을 잃어버리고 제도중생의 길에 오르지 못하는 원인이, 선정 자체가 아집을 벗어나지 못한 자아선정이기 때문임도 알게 되었다.

《지장경》을 읽어 앞의 사실들을 깨닫고, 지장보살의 원력세계를 접하게 된 것도 따지고 보면 참선한 공덕이 밑받침되어 준 것임은 부인할 수 없다.

그러니 내 경우는 곧 바로 선이 교요 교가 선이며, 모든 것이 부처님의 사리요 부처님의 빛이며 부처님의 가르침인 것이다. 《지장경》을 읽고 감동하여 경전들을 알기 쉽게 해석하고 엮었으며, 그 기쁨을 이기지 못해 지장경을 찬양하는 〈지장경 약찬게〉라는 시를 지어 유포하게 되었다.

「《지장경》이란 책자가 다시 한번 내 인생 항로를 크게 수정하게 하는 계기가 된 것이다.」

《지장경》을 엮고 앞에 붙인 서문을 여기 게재하여, 신앙이 정립되지 않은 이들에게 신앙을 정립하는 인연이 되었으면 한다.

믿음은 도의 근본이요 공덕의 어머니라 했던가? 이 시대 중생들이 믿음은 쇠(衰)해 가고 근기(根氣) 약해 계율과 신앙이 파괴되고 있으니……

한때는 견성오도했다는 착각 속에, 안하무인의 부끄러운 시간이 있었으나, 전생에 지어 놓은 복력(福力)이 남아 있었던지 지장보살님을 인연하기에 이른다. 그로 인해 신앙이 정립되고 바른 불제자가 되었으니, 감사로움을 널리 선연하고픈 마음 간절하여, 여기 그 인연들을 적게 된다.

다리 괴고 앉은 마음은 분명 도인이었고 부처였다. 삼천대천 세계가 코 끝에 매달렸고, 온 우주법계가 숨구멍으로 들락거림을 볼 수 있는 신통자재의 마음이요, 생각이었다. 그런데 (청상과부되어 모든 희망이었던 자식을 중으로 빼앗기고 약물과 한으로 지낸 십 년 세월이 중독으로 나타나) 사경(死境)을 헤매시는 어머님 전(前)에 그 당당한 부처는 간 데 없고, 회한과 죄스러움에 떠는 나약한 사내가 있었을 뿐이었다.

한 맺힌 사람에겐 지장기도를 해야 한다는 귀동냥 덕분으로 삼 일 낮밤 어머님 곁에 기도를 올리게 된다.

소생불가능이란 의사의 진단을 비웃기라도 하듯, 어머닌 깨어 나신다. 깨어 나시면서 하신 충격적인 말씀, 지장보살! 지장보살! 지장보살!

천주교인이셨기에 전혀 아실 리 없는 지장보살님의 명호(名號)! 그러나 분명 어머님 입으로 던져진 그 염불소리 지장보살! 그때의 감동과 충격을 어떻게 설명할 수 있을까. 그러면서 이어진 또 한 마디의 말씀, 「내가 졌다. 내가 너에게 졌다」(이 사람이 승려된 것을 십년 세월이 지나도 인정하지 않으시고, 인사차 들리면 깎은 머리 보시지 않겠다고 돌아 누우시던, 피맺힌 십 년 한이 와르르 무너지는 충격의 소리였다).

깨어 나시어 하시는 말씀들은 더욱 감격스러웠다. 황량하고 누런 들판을 훨훨 날아가고 계셨단다. 가시면 안 된다고 간절히 부르며 따라오는 이 사람을 꾸짖고저 돌아보니, 비지땀 흘려 가며 뭐라 중얼거리고 달려 오는 애처러운 모습에 은연중 함께 중얼거리게 되셨는데 깨어 보니, 당신도 모르시는 염불 소릴 내고 있었다고 설명하셨다.

그 후 어머님을 내가 거주하는 사찰에 모시게 되었고, 잇따라 일어나는 묘한 인연들은 지장신앙을 하게 되는 계기들로 이어진다.

「마음이 곧 부처요, 당신 자신이 부처님이니, 스스로의 마음에 귀의하라는 가르침」은 어머니에게 아무런 설득력도 의미도 없었다. 어머님 같으신 분에게 불교신앙을 갖게 할 수 있는 말씀이, 어느 경문(經文)엔가 있으리라 믿고, 대장경을 열람하기에 이른다.

《지장부 경전》 차례가 되어 그 경전들을 구해 오게 되는데, 그 과정에서 교통사고를 만난다. 철근을 가득 실은 앞 차와의 충돌은 차창으로 들어온 날카로운 철근들에 가슴을 뚫리게 되지만, 안고 있던 경전들이 가슴을 보호하여 죽음을 면하는 기연을 만난다.

한 글자 한 구절 놓칠세라 몇 밤을 세워 읽은 구멍 뚫린 경전들, 《지장본원경》, 《지장십륜경》, 《지장보살점찰선악업보경》! (바로 이 경전들이구나!) 신심과 근기 약한 이 시대 중생들을 위해 설해 놓으신 말씀이, 바로 이 경전임을 알았을 때 얻어지는 기쁨의 법열들! 「내(석가)가 가고 미륵부처가 출현하기 전 이 시대 육도중생을, 지장보살 너에게 부촉한다」하신 수기의 말씀을 읽으면서, 내 자신이 수기를 받는 착각의 법열 속에 몇 밤을 세우게 된다.

내가 부처라는 착각의 오류에 빠져 있던 사람이 불보살님들의 대원력의 세계, 바로 대원본존 지장보살님의 커다란 위신력의 세계와 접하는, 참으로 대전환의 인연을 만나게 된 것이다.

자아의식 저 너머 불보살님의 원력의 세계에 접하는 길은, 오직 지장보살님의 대원력(大願力)에 동승하는 길임을 굳게 믿기에 이른다. 그 원력의 세계에 접하고자 올린 간절하고 절실한 기도는, 김영훈이란(현대 의학이 버린) 세 살바기 어린 생명을 구하는 인연과, 정영숙이란 귀신들린 처녀를 제도하는 가피의 인연들을 만나게 되며, 더욱 잊지 못할 감동은 천분 지장보살님이 이 사람을 위호하고 광명을 놓으시는 감격스런 모습도 기도중에 접하게 된다.

잊을 수 없는 천분 지장보살님의 모습을 불상으로 조성해 모시고자 간절히 발원(發願)했던바 현실 인연으로 이어지기에 이른다. 모셔진 천분 지장보살님들은 비록 생명 없는 석고지장이요 금지장이었지만, 이 사람이 지장신앙을 선양하고 불교 신앙화·불교 생활화 운동을 전개하는 데 실질적 위호로 나타나기에 이르니, 내가 만든 석고지장이, 내가 조성한 금지장이 나를 살리는 깊고 묘한 신앙의 이치를 배우게 되고 깊이 믿기에 이른다. 이제 나와 인연하는 모든 중생들이 그대로 지장보살의 변화신들임을 믿어 의심치 않게 되었다.

이 번역된 지장경과 지장보살 예찬문, 법열을 이기지 못해 감히 읊어 본 〈지장보살 약찬게〉! 역시 인연 깊은 지장보살님들이 원(願)을 내어 보시공덕을 지으니, 이 인연공덕으로 선망부모 영가와 금생인연 닿는 모든 이가 지장되길 다시 발원하며 앞 글을 맺는다.

개 키우는 데도 인격이

미국 버지니아에 사는 교포집을 들렀을 때의 일이다. 그만하면, 성공한 사람으로 대우받는 교포였으나 자식이 없었다. 사십 고개를 넘고, 어느 정도 안정이 되고 보니, 타국 생활의 외로움과 허전함이 더욱 짙어만 간다고 했다. 강아지라도 한 마리 키워야겠다며 광고를 훑어 보더니, 전화를 걸고 쏜살같이 나갔다.

얼마 후 돌아왔는데, 강아지는 없고 겨자 씹은 얼굴이었다. 왜그러느냐고 물었더니, 톡톡히 창피만 당했다는 것이다. 이유인즉 「족보 있는 강아지를 키우려면, 키우는 사람의 인격이 갖추어져 있어야 하는데……옷 입은 매무새도 그렇고, 말투도 거칠고 등등……어떤 면을 보더라도, 강아지를 팔 수 없다」고 해서 싸우다 오는 길이란다.

「강아지 새끼 사러 가는데 정장하고, 나비넥타이라도 매야 합니까? 입은 대로 운동화 끌고 간 게 뭐 잘못입니까? 경상도 문둥이라, 내 말투가 투박한 건 사실이지만, 세련되지 못한 영어가 개 키우는데 무슨 소용이라도 있답니까? 그런 까다로운 개새끼라면, 공짜로 한도라꾸 줘도 마, 안 할랍니더.」평소에 쓰지 않던 경상도 사투리가 막튀어 나오니 듣는 나도 어리둥절, 저 사람이 경상도 사람이었던가?

「시님 개 키우는 데 무슨 우라질 인격입니까? 배 터지게 묵이면 되지! 지가 백인놈이면 백인놈이지, 돈 준다는데 그것도 부른 값보다 두 배나 더 준다는데, 안 팔다니, 황인종이라고 무시해?」

「여보게 처사! 지금 자네가 하는 말, 그 미국 사람이 들었다면 개하고 짐 싸가지고 천리는 도망갔겠네!」

「스님마저 절 놀리십니까? 이것저것 다 지킬려면, 뭣 하러 이놈의 땅에 왔겠습니까?」

여보게 처사!

우리 흥분 가라앉히고 「개를 키우는 데도 인격이 필요하다는 말」 다시 한번 곰곰히 생각해 보세.

잊을 수 없는 의사

병원과의 인연이 옅은 사람이라, 신체 어느 부위를 고치고 치료하는 의사 선생님이 기억될 리는 없다. 그러나 내 외로웠던 마음을 달래 주시고, 메말랐던 가슴에 감로를 내리시어 나약하고 방향 잃은 영혼을 치유해 주신 두 분의 의사를 잊을 수 없다.

그 첫번째 분은 성바오로라는 파란 눈의 불란서 신부님이셨다. 증조부·조부·부, 모두 삽십 세를 넘기지 못하고 돌아가셨기에 청상과부들의 한숨 속에 살아야 했던 어린시절이 있었다. 너무 일찍 고독을 배우게 되었고, 삶의 회의와 아픔을 배웠다. 국민학교 일학년, 할머니 손에 이끌려 성당을 찾던 그날, 두 손 꼬옥 잡아 주시던 그 크고 따스하던 손! 자애롭기만 했던 맑고 파아란 눈과의 만남은, 내 삶의 리듬을 바꾸어 말 없고 우울하며 언제나 외톨이였던 아이가 명랑하고 건강한 사람으로 치유되는 계기가 되었다.

신부님 방에서 배우던 성경의 문답공부들, 신부님이 주신 크고 달았던 눈깔사탕, 멋진 신부님 파이프!

학교 파하면 곧장 신부님한테로 달려 갔던 그 세월들은, 내 영혼을 건강하게 살찌우는 참으로 큰 치료의 시간들이었다.

먹물옷 입고 사문이 된 지금에도, 신부님이나 수녀님을 먼발치로만 보아도 두 손 모아 합장함은 내 영혼 속에 담겨 있는, 그 옛날 아버지 같던 성 신부님의 모습 때문이리라!

내 두번째 잊지 못할 의사 선생님은 한 권의 책이었다. 세 과부의 강한 반대로 신학교를 가지 못하고, 신앙마저 냉담 상태가 되었으니 갈등과 회의는 또다시 나의 영혼을 병들어 가게 했다.

목마르고 메마른 영혼의 갈증은 수많은 책들과의 씨름으로 이어졌고, 그중 우연히 만난 한 권의 책은 입산의 길까지 인도하게 되었다. 결국 세 과부의 목숨 건 만류도 뒤로 하고, 삭발염의한 승려가 되었다.

끊임없는 방황 속에 자신을 포함한 그 누구도 사랑할 줄 모르는 외로웠던 영혼이 자신을 그리고 이웃을 사랑할 줄 알게 되고, 길가의 이름 없는 풀들과 작은 벌레까지도 사랑할 줄 아는 건강한 영혼이 되었다. 내 인생의 스승 두 분은 바로 성 신부님, 그리고 그 책을 지으신 원효 스님이시니, 두 분은 나의 잊을 수 없는 의사임에 틀림없으리라!

그분들을 그리는 가슴으로 이 글을 맺는다.

고등부 법우들에게

불법(佛法)은 생활법(生活法)이다. 멀리 찾으려 말고, 가까이 생활에서 찾아야 한다. 머리로만 찾으려 말고, 온몸으로 찾아야 한다.

벗어 논 신발을 돌아볼 줄 알고, 흩어진 서랍을 가지런히 하는 것이 불법임을 알아야 한다. 중국의 대 문장가요, 정치가였던 「백낙천」이 나무에 새처럼 둥지를 틀고 사는 조과선사를 찾아와 다짜고짜 불법이 무어냐고 물었을 때, 선사는 「중선봉행 제악막작」하라 이른다. 착한 일은 받들어 행하고 악한 일은 하지 말라는 뜻이다.

백낙천은 「무슨 특별한 법(法)이라도 있나 했더니 별거 없군! 그런 소린 세 살 먹은 어린아이도 다 아는 말이요」라며 실망한 얼굴로 돌아선다. 돌아서는 뒷통수에 스님은 「일갈」을 한다.

「이놈아! 세 살짜리 어린애도 알지만은 백 살 늙은이도 행하긴 어렵다.」

백낙천은 결국 돌아서서 선사 앞에 무릎을 꿇는다. 불법이란 알음알이 글 장난 말 장난이 아니고 깨침이며 해탈이고, 계합이며 생활이니 바로 행(行)에 있다는 말이다.

여러 법우(法友)들은 불법이 너무 어렵다는 「현애상」도 내지 말며, 그 말이 그 말이라는 「관문상」도 내지 말며, 꾸준히 쉬운 것부터 익혀 나가면 결국 깨달음의 세계, 성숙의 세계에 이르게 되니 부지런히 노력하고 방일하지 말아야 한다.

불법(佛法)은 세 다리가 삼각형으로 구족되어야 하느니, 신(信)·혜(慧)·행(行)이 그것이라! 믿음없이 아는 것은 오히려 앎이 번뇌스럽고, 알지 못하고 믿기만 하면 그 믿음은 업이나 앙금이 되고, 믿고 알더라도 행(行)이 없으면 자신을 포함한 일체 중생을 제도할 힘이 없으니, 반드시 신혜행(信慧行)의 세 다리가 구족할 때, 깨달음의 열매가 열리니 알아 둬야 할 일이다.

그리고 우리나라 불교는 근기(根氣) 약한 사람에게 어려운 지혜(慧) 쪽에 축을 두고 공부하다 보니 불교 생활화, 불교 대중화의 길을 막게 되었다. 아이든 어른이든, 상근(上根)이든 하근(下根)이든 누구나 할 수 있는 행(行) 쪽에 축을 두어 공부를 이어간다면, 불교가 생활화되어 우리가 사는 이 사바 세계가 그대로 극락 정토가 되리니……. 부디 작은 선생이라도 잊지 말아야 할 것이다.

마귀와 간첩

방울아!

스님이 면소재지 작은 토굴에 정진하고 있을 때의 일이란다. 강산이 바뀐 세월 전의 일이라 희미할 법도 한데, 이렇게 또렷함은 그때의 그 일이 충격이었나 보다.

눈바람이 몹시 시려웠던 해질녘에 일용품을 구하러 소재지엘 나갔는데, 다리 밑에 많은 아이들이 옹기종기 모여 떨고 있더구나.

왜 집에들 가지 않고 그러고 있느냐 물었더니 버스를 기다린단다. 하루에 세 번 다니는 버스지만, 눈이 많이 와 길이 나쁘면 그마저 오지 않을 때가 있고, 그럴 때는 삼사십 리를 걸어 가야 한단다.

소재지에 고등학교는 없고, 국민학교와 중학교가 있었는데, 다니는 아이들 거의가 이삼십 리 또는 삼사십 리 떨어진 산골마을에 살고 있었기에, 일 년에 반 정도는 걸어 다니게 된단다.

차가 올 시간이 남았다기에 모두 토굴로 데리고 가서, 라면을 끓여 먹이고, (아까워서 나는 때지도 못하는) 솔 가지와 잘 말린 장작개비로 아궁이 가득 군불을 지펴 주었단다. 그게 인연이 되어 저녁 때쯤이면, 스님 토굴은 아예 아이들 대기소가 되고 말았단다. 그냥 앉아 노닥이고 장난치는 모습들이 안타까워 부처님 얘기, 역사 얘기를 들려주다 보니 아이들이 매일매일 늘어, 오육십 명이 넘게 되고, 자리 다툼까지 생길 형편이었단다.

인연이란 맺기도 어렵고, 끊기 또한 어려운 것이라! 북쩍 대는 애들 북새통에 정신이 없었지만, 이것도 공부려니 하고 아이들에게 좀 더 체계적인 공부를 시켜 보기로 했단다. 낙후된 마을이라 학력 수준이 너무 낮았고 도시 아이들과 비교할 수 없었단다. 큰 눈으로 보면 그들의 낙후됨이 오히려 순수하고 건강한 것일 수도 있겠지만, 어찌 됐던 국민학생들에겐 역사·산수·국어 등을 가르쳤고 중학생에겐 영어·한문·수학 등을 보충해 주게 되었단다. 아이들은 늘고 늘어 백여 명에 이르렀고 땔감·간식·학용품 등 경비가 문제되었단다. 그때 어디서 그런 정열이 솟았는지, 시내에 나가 탁발도 하고 법문강의도 해서 큰 불편없이 뒷바라지를 해낼 수가 있었단다.

그런데 문제는 다른 곳에서 생기더구나! 잘 나오던 국민학교 4학년 학생 아이가 안 보였는데, 어느 날 버스 안에서 만나게 됐단다. 반가워 옆에 앉으니, 인사는커녕 고개를 돌리지 않겠니! 왜 그러는지 물었단다. 그 대답이 참으로 충격적이었지.

「스님은 마귀라면서요? 제가 다니는 ○○에서 그라던데, 스님 토굴에 가면 마귀 새끼되니 절대 나가면 안 된데요.」

아직도 그 아이 표정과 그 작은 입이 눈에 생생하단다. 아이들에게 도움이 되고자 했던 일이 타종교인들의 곡해를 불렀고, 곡해가 도를 넘어 간첩이라는 투서 사건으로 번지게 되어 곤욕을 치르는 일이 벌어졌단다. 반공법이 제일 무서웠던 그 시대에 간첩은 마귀보다 더 무서운 존재였지. 그런데 마귀와 간첩을 겸한 스님이 되었으니……

결국 모든 사실이 밝혀졌단다. 타 종교인들의 모략이었음을 귀뜸해 준 그때의 수사관들은 지금도 가까운 벗으로 지내고 있단다. 그때 중고생들은 장성하여 결혼 주례를 부탁할 만큼 세월은 흘렀고, 그때 가슴 아팠던 일들이 추억으로 간직될 만큼 스님도 나이가 들었단다.

방울아!
아픔도 세월이 가면 아름다운 추억이 될 수 있다는 것을 알겠지.

촐랭이의 자유

여동생집에 식구가 하나 늘었다기에 가 보았더니, 쥐방울보다는 조금 큰, 겨우 젖 떨어진 강아지가 한쪽 눈만 찡그시 뜨고 쳐다본다. 사나운 짐승마저도 새끼 때는 귀여운 법이라 조카딸 둘이 만지고 쓰다듬고 깨물고 꼬집고, 그러다간 크기 전에 죽겠다고 하니, 그래도 이뻐 못살겠다는 표정이다.

이름은 삼촌이 지어 달라기에 기르는 사람들의 식구이니, 직접 지어 보라고 했다. 얼마 뒤 들렀더니 몰라 보게 자랐고, 이름은 촐랭이란다. 어찌나 촐랑거리고 까부는지, 이불이란 이불은 다 쥐어뜯고, 어디라도 나갈라치면 바지 가랑이가 안 남아 난단다.

그런데 촐랭이에 대한 표정과 말투가 처음과는 다르게, 호감 없는 어감들이었다. 촐랭인가 촐랑인가, 한 달도 못 되어 자기 관리를 어찌했기에 인기가 이렇게 떨어졌는지 물어 봤더니 아무데나 특히 이불에다 실례를 해대서 베란다에 집을 지어 살림을 내줬는데, 이건, 아파트가 떠나가도록 짖어대니.

아파트에서 키우려면 아무래도 성대 수술을 해야 할 것 같은데, 아이들이 너무 잔인하다고 해서 망설이고 있단다. 성대 수술이 뭐냐 물으니 아파트에 개 소리 나면 항의가 들어오게 되니, 짖지 못하도록 성대를 떼어 내는 수술이란다.

집이라야 새장만도 못한 곳에 가둬 놓고 얼마나 답답했겠는가, 사온 곳에 가져다 주던지 그렇지 않거든 자유스럽게 살도록 시골 친구집에 선물이라도 하라 일렀더니, 동생 왈, 두 딸이 다 학교 기숙사에 가 있고 두어 주일에 한 번씩 들리는데, 과부 혼자 개하고 싸우는 재미라도 있어야 살 게 아니냐는 항변에 대답할 말이 없었다.

때마침 미국에서 남동생이 나왔는데, 개 길들이는 데는 한 수가 있으니 심려를 놓으라며 회초리와 막대기를 가져 오란다. 회초리는 있을 리 만무하고 과부 혼자 사는 곳이니 등 긁는 효자손을 갖다 준다. 아이쿠, 이건 너무하다. 냅따, 후려치니 울지도 못한다. 미국 사는 사람이 동물 학대죄도 모르는가? 또 끙끙거리니, 더 세게 후려 팬다.

조카들은 너무한다고 눈물을 찔금거리는데 미국서 온 동생 왈, 어설피 다루면 성질만 늘고 특히 주인을 깔봐 말을 듣지 않게 된단다. 일리 있는 말도 같았지만…….

동물 중에 인간만큼 영리하고 잔인한 동물이 있을까? 그렇다면 인간을 작은 지구떵이에 가둬 놓고 길들이는 자는 어떤 존재일까? 강아지 길들이는 회초리와 비교도 안 되는 천재지변의 회초리를 휘두르는 자, 그가 우주를 창조했다는 창조자인가? 그럼 그 창조자를 더 무섭게 길들이는 자는 또한 누구란 말인가 서로 길들이고 서로의 살과 피를 뜯어 먹게 해 놓고선, 사랑인가 자비인가를 찾으라고 그렇게 길들이는 자는.

이 세상에서 가장 먼저 회초리에 길들여질 자가 있다면, 그는 바로 회초리를 만든 자이리라!

스님이란 회초리를 휘둘러 촐랭이를 자유스런 시골로 보냈지만, 그가 진정 자유로워질 수 있을까?

눈탱이 방탱이

포교승의 일상은, 아픈 일들을 보고 듣는 긴장의 연속이다. 자지러지듯, 스님을 부르는 소리에 나가 보니, (어지간한 일에는 놀라지 않도록 훈련된 심장이었지만) 봉두난발. 헝클어지고 흐트러져 귀신을 연상케 하는 머리카락, 코피가 터진 얼굴, 피범벅에 찢겨진 옷자락! 누군지 확인할 사이도 없이 밀치듯 들어와 방 안으로 곧장 가더니 이불을 뒤집어 쓰고 하는 소리가, 신랑이 쫓아오고 있으니 절대 문을 열어 주면 안 된단다. 알고 보니 부부싸움하면 눈탱이 방탱이되어 찾아오는 단골이었으나, 오늘 같은 해괴한 모습과 이상한 행동은 새로운 레퍼토리였다. 그때 전화가 때르릉 울렸다. 올커니! 신랑님이겠지 하고 전화를 받았는데, 이건 또 웬 날벼락인가? 다 죽어 가는 여인의 목소린데 우울증에 시달려 죽지 못해 산다는 신도였다.

「스님! 살고 싶지 않아 약을 먹었는데, 자살하면 지옥간다는 말씀이 마음에 걸려 전화를 했습니다.」

「몇 분 후면 죽게 되는데, 지옥 안 가도록 부탁드립니다. 그리고 제 마지막 소원이, 스님의 법문 들으며 눈을 감는 것이오니, 죽어 가는 사람의 간절한 소원을 저버리지 말아 주세요.」

이런 때 기가 막힌다는 말을 쓰는 건지, 살리긴 살려야 하는데 옆집에 오빠가 살고 있다는 말은 들었으나 전화번호를 모르니, 아무리 물어도, 그저 횡설수설이었다. 전화가 끊기면 한 생명 그대로 생을 마친다고 생각하니, 진땀이 솟을 수밖에. 어르고 벼르고 실갱이 끝에 오빠집 전화번호를 알아냈는데…….

이 여인 하는 말, 만약 전화를 끊고 오빠에게 연락하면 옆에 농약이 있으니 마셔 버리고 즉사해 버릴 것이라며, 좋은 말씀을 계속 해 달라는 엄포였으니, 참으로 진퇴양난이었다.

그때 문 두드리는 소리가 들렸다. 목소리는, 바로 이불 쓰고 죽은 듯이 누워 있는 여인의 낭군이었다. 우선 전화 속의 여인을 살리고 볼 일이라, 전화줄을 질질 끌고 문을 열어 주며, 무슨 말을 꺼내기도 전에 지금 죽어 가는 여인이 전화 속에 있으니 두말 말고 이 전화번호로 「당신 동생이 약을 먹었으니 빨리 가보라는」 전화를 하라고 쪽지를 내미니, 어리둥절한 사내는 시키는 대로 전화를 하러 나갔고, 나는 계속 전화통에 얘기를 해댔다. 전화 속 여인집에 사람이 도착을 했는지 전화가 끊겼다. 정신을 차려 보니 누워 있던 여인도 찾아온 신랑도 사라져 버리고 아무도 없었다. 꼭 꿈을 꾼 것 같아 살을 꼬집어 봤으나 생시였고, 도깨비에 홀린 기분이었다.

세월이 지난 얘기라 웃을 수 있지만 진퇴양난, 기가 찼던 순간이었으니, 지금도 생각하면 아찔하다.

우울증의 전화 속 여인은 건강하게 새 삶을 살고 있으며, 단골손님 두 부부도 가끔 싸우지만 잘 살아 가고 있으나……말하고 싶은 것은 눈탱이 방탱이 손님이 그 두 부부뿐만이 아니며, 이 포교승에겐 그런 단골들이 더 늘어 가고 있다는 사실이다.

한산 시 청산은 나를 보고

청산은 나를 보고 말없이 살라 하고
창공은 나를 보고 티없이 살라 하네
사랑도 벗어 놓고
미움도 벗어 놓고
물처럼 바람처럼 살다 가라 하네.

이 시는 중국 당나라 때 한산 스님의 시라고 알려져 있다.

끊임없는 선택의 모순! 번뇌와 애착을 짊어지고 살아야 하는 우리
네! 한 번쯤 음미해 봄직한 시이며, 슬플 때나 기쁠 때나 노래처럼
읊어 보는 나의 애송시이기도 하다.

물질이란 언젠가는 제 형태를 보존치 못하고, 부서져 사라지는 존
재이며, 번뇌와 애착도 본디 뿌리 없는 허공꽃과 같은 것! 산다는 자
체도 한 조각 뜬구름 모임이요, 죽는다는 것도 알고 보면 모였던 뜬
구름 흩어짐일진데······.

우리가 실체요 실존이라 착각하며 고집하는 허상들을 과감히 부정
해 볼 수 있는 용기와 지혜가 생길 때, 이 시의 세계를 더 가까이 엿

볼 수 있으리라!

　싸워도 싸워도 그칠 줄 모르는, 수라세계 중생들! 죽고 또 죽어도 죽은 줄 모르는 지옥세계 중생들에게도 들려 주고픈…….

무서운 업

　어떤 일을 계속하다 보면 습관이 붙고, 그 습관이 자리잡게 되다 보면 업(業)으로 굳어져, 습업(習業)이 된다. 좋은 일이든 나쁜 일이든 업이 되고 만다. 그래서 이왕이면 악업(惡業) 대신 선업(善業)을 지으라 한다. 굳어 버린 업, 익어 버린 습업은 참으로 무서운 것이다.

　술을 먹는 일이 계속 되면 알콜중독자가 되는 것이요, 약을 끊지 못하고 계속 복용하면 마약 중독자요, 주지 않은 물건을 계속 가져 오면 도둑이요, 내것을 자꾸 주다 보면 자선가가 되고, 남을 위해 계속 희생·봉사하는 삶을 살게 되면 보살 성현이 된다.

　계속 반복되는 업이 굳어 우리 삶의 모양새가 되는 것이니, 그 업에 종류별로 이름이 붙여지면, 판사·기사·의사·순사 등 직업으로 불리어진다.

　나와 함께 살던 노스님 한 분이 계셨다. 기골이 장대한데다 봉의 눈을 가지신 당당한 모습이셨기에, 처음 보는 사람들은 누구나 경배할 정도였다.

　그러나 그 스님에겐 하루에도 몇 병의 소주를 마시지 않고는 배길 수 없는 습업이 붙어 있었다. 진묵 스님이나 경허 스님이 술독에 빠져서도 자비방광을 하셔, 중생제도의 인연을 지으신 것과는 달리, 마시지 않고는 살 수 없는, 알콜의 노예가 되신 이 노스님!

짓궂은 아이놈들이 소주병에 오줌을 부어 갔다 드려도 허겁지겁 따러 잡수시던 모습이 생생함은, 나 역시 천리채 · 부월채 뜯어 가며 때론 곡차를 마시는 포교승의 가슴이어서인가?

얼마 전 모 잡지의 통계를 보고 깜짝 놀란 일이 있다. 병을 고쳐 주는 의사들의 자살률이 평상인들보다 여덟 배가 높고, 마약중독률은 열 배, 알콜중독률은 이십칠 배나 된다니……남을 보살피고 살리는 희생 · 봉사의 삶이 얼마나 힘들고 외로운 길인가를 말해 주는 통계로도 이해될 수 있었다. 아이들을 가르치는 선생님, 정신을 치료하는 성직자, 자기정화에 몸부림하는 수행자! 우리 모두 무엇에 중독되어 있지 않은가, 한 번쯤 점검해 볼 일인 것이다.

길들여지는 습업은 개인뿐만 아니라 나라와 민족, 더 나아가선 인류의 생존에도 영향을 미치니, 아니 우주법계의 질서마저도 이 업의 법칙이 작용됨을 깨달아, 이왕이면 서로가 서로에게 득이 되고 덕이 되는 아름다운 선업들을 짓다 갔으면…….

에어로빅과 절

그때만 해도 찬불가 보급이 널리 안 되어 있을 때였다. 아이들에게 어려운 법문보다는 찬불가가 좋을 것 같아 노래를 가르치려니 피아노·풍금은 생각도 못 하고, 작은 카세트 테이프를 이용하여 배우는데, 그것도 여의치가 않았다.

타고난 음치인 이 승려로서는 답답하기 그지 없었다.

할 수 없이 또 관상보기를 해야 했다. 관상보기란 야학 선생님이나 어린이 지도교사를 모셔 오기 위한 방법인데, 대구에서 백여 리나 떨어져 있던 곳이기에, 무보수로 선생님을 초빙한다는 것이 무리일 수밖에 없었다. 그러나 세상에는 악하고 계산적인 사람들만 사는 곳이 아니어서, 대학교 문 앞에 서 있다가 착하고 봉사심 있게 생긴 학생을 잡고, 사정 얘기를 하는 작전으로 성공률이 거의 100%였으니, 음악선생 초빙도 관상보기 작전을 안 쓸 수 없게 된 것이다.

이번에도 유치원 앞에서 작전이 성공되어 선생님을 모셔 오니, 아이들은 기뻐 날뛰었다. 금상첨화격으로 그당시 유행하기 시작한 에어로빅을 아이들한테 가르쳐 주니, 동리 코흘리게 꼬마까지 모조리 끼여드는 판이 되었다. 하도 보수적인 마을이라 속으로 걱정을 하였는데, 역시 예측대로 동리에서 항의가 들어왔다. 동리 어른들 몇 분이 찾아와, 절이란 조용히 기도하고 수행하는 곳이지, 어째서 동네방네 시끌벅쩍 노래를 해대고, 다 큰 처자들이 다리 번쩍 들고 춤을 추게 하며, 거기다 점잖으신 스님께서 손뼉치며 장단 맞추는 꼴이 도저히 꼴같지 않으니, 당장 그만 두라는 항의였다.

만약 그만 두지 않으면 마을회의를 열어서 야학이고 뭐고 다 못 하게 하겠다는 엄포였으니, 이해는 하지만 기가 막힌 일이었다.

고민을 하고 있던 차에 불자인 그곳 중학교 음악 선생님이 오셔서 걱정을 덜어 주셨다. 선생님 말씀 왈, 내일부터 아침과 점심시간에 에어로빅을 건강체조로 하게 되었으니 걱정 말라는 이야기였다. 아닌게 아니라 그 뒷날부터, 점심시간에 학교 확성기에서 들려오는 에어로빅 음악과 학생들의 춤은, 동리 노인들의 입을 봉하게 하고야 말았다.

그때 에어로빅 선생님은 내 제자와 결혼하여 아들딸 낳고 살고 있으니, 얽혀 돌아가는 인생살이 인연이란…….

첫번째 포교당의 실패

　선현의 가르침에, 재물과 여색의 화는 독사의 독보다 심하니 항상 조심하라는 말씀이 있다. 계율을 엄히 하라는 말씀이니, 가르침의 뜻은 충분히 이해되지만, 사창가라도 찾아가 법을 전해야 하는 포교승에겐 이야기가 좀 다르다.

　함께 아파하고 함께 기뻐해야 할 처지에선, 때론 도둑놈도 때론 술꾼도 깡패도 거지도 돼야 할 판이니, 작은 계율만을 고집할 순 없다. 그렇다고 포교승은 계를 파하고, 재색을 가까이 해도 좋다는 말은 결코 아니다.

　대전에서 처음 포교당을 개설했을 때의 이야기다. 십수 년 전의 일이니 포교당이란 말도 생소할 때에 그저 부처님에 대한 신심과 열정만으로 시작을 하고 보니, 많은 시행착오를 맛보게 된다. 기존 사찰이 아니라, 시중에 강당 같은 것을 얻어 부처님을 모셨으니, 사찰 하면, 산중을 연상하는 사회적 인식이나, 불자들의 눈에 자못 이상스레 비춰질 수도 있었고, 건물 임대 문제며 전적으로 신도들에게 의존할 수밖에 없는 운영 면에서도 문제점을 안고 있었다.

　대전 포교당 역시 어느 보살의 도움으로 개설을 하게 되었고, 운영도 몇몇 보살의 협조로 이어 가게 되고 보니, 눈치 아닌 눈치 속에 그들의 비위를 맞출 수밖에 없는 실정이었다. 이것도 수행이다. 이미 부처님께 받친 목숨! 부처님께선 가뭄에는 빗물되고, 배고픈 이에겐 쌀이 되어, 제도중생하라시지 않았던가! 그러나 가르침대로 행하기엔 역부족이었으니……시주한 은혜까지 앞세워 안주인 노릇까지 하려 드는 기걸찬 여인 앞에선 도행이 깊지 못한 젊은 승려들은 아픔을 겪게 되고, 법다이 다루지 못하면 결국 넘어지고 말게 되는 것이다. 부끄러운 얘기지만 이 승려 역시 예외는 아니었으니, 배고픈 이에게 밥이 될 수 없는 익지 않은 가슴과 가뭄에 빗물 되지 못하는 어린 수행자였다.

결국 자신의 길을 지키기 위해, 실패라는 아픔을 안고 그곳을 뜰 수밖에 없었다. 그러나 그때의 아픔들이 채찍과 지혜되어, 아직도 포교승으로 남아 있을 수 있었다.

포교승과 여인!

너무 가깝지도 너무 멀지도 말아야 할 사이, 아니 여타 성직자와 신도들의 사이 역시 매한가지 아니겠는가!

3

저승 사자의 눈을 피할 수 있는 법

나이 사십이 넘었는데도 온갖 잡되고 못된 짓을 가리지 않고 살아온 망나니가 어느 날 달빛 아래 구부정한 자신의 그림자를 바라보며 무게 없는 텅빈 삶에 한숨을 짓고 있었다.

남은 것은 외롭고 쓸쓸한 가슴과 윤기와 탄력을 잃은 살갗, 눈가엔 주름뿐이었다.

「아! 영원히 풀끼 있고 빳빳한 긴장과 즐거움만 있을 줄 알았는데, 이런 세월이 올 줄이야!」

막 살아온 대가로 스며든 다스릴 수 없는 병마와 가눌 수 없는 육신, 모든 것이 싫어졌다. 그대로 죽어 버리고픈 심정밖에는 들지 않았던 것이다. 문득 그는 스님들이 생각났다(솔바람 물소리 벗삼아 유유자적하던 모습들이 멋스러워, 자신도 스님이 되겠다고 입산했으나 열흘도 못 되어 내려와 버린……).

산을 나오면서 그는 말했었다.

「스님! 이 답답한 생활을 뭣하러 하는가요? 벽을 보고 있으면 돈이 굴러 나옵니까? 계집이 나옵니까? 뭣 때문에 이러고 사십니까?」

그때 스님은 말씀하셨었다.

「생사(生死)를 초월할 수 있음이지.」

생사를 초월한다? 생사를 초월한다? 병이 깊어 죽음에 임박한 이 망나니, 생사를 초월한다는 스님의 말씀이 가시처럼 걸려 왔던 것이다. 그러나 이미 죽음의 그늘이 드리워지고 저승 사자가 다가 왔다.

「칠 일 후 너를 데리고 갈 것이니, 준비하고 있거라!」

망나니는 죽을 힘을 다하여, 다시 절로 기어 올라가게 되었고, 큰 스님께 생사 초월의 방법을 간절히 묻게 되니, 자상한 말씀을 내리셨다.

「법당에 계신 부처님께 묻되, 칠 일 동안 대소변 보는 일 이외는 꼼짝 말고, 계속 생사 초월하는 법을 물어야 하느니라! 부처님의 대답이 계실 때까지.」

「부처님! 생사 초월하는 방법이 무엇입니까? 생사 초월 방법이 무엇입니까? 무엇 무엇……. 생사 초월, 생사 초월, 생사 초월…….」

저승 사자의 눈은 한 번 껌뻑일 사이, 우주를 팔만사천 번이나 꿰뚫어 본다니, 사자의 눈을 피할 수 있겠는가? 죽음의 길로 끌려 가지 않으려고 배 안에 똥마저 내놓고 발버둥하나, 어쩔 수 없이 저승길에 오르는 것이 중생들의 슬픈 모습일진대, 이 망나니 역시 예외가 되겠는가? 일 주일이 되어 저승 사자가 망나니를 찾으러 왔는데 눈에 띄지 않았다. 다른 사자들까지 동원하여 하늘땅 우주 법계를 다 뒤져도 찾을 길이 없어 염라대왕께 보고하니, 대왕이 말했다.

「그 사람은 너희들 눈 밖에 있느니라. 완전 삼매에 들어 생사를 초월했으니, 너희들 권한 밖이다! 그만들 두거라.」

저승 사자의 눈을 피할 수 있는 길은 삼매에 드는 것이니, 삼매는 우주와 내가 하나되어, 그대로 법신불이 되는 경지다. 수행한 스님네가 자신의 죽는 시각을 정확히 예언할 수 있는 것도 이 때문이며, 서서 가고 앉아 가고 물구나무 서서도 가는 죽음의 자재로움이, 다 닦은 힘이 있어 저승 사자에 끌려 가지 않기 때문인 것이다. 매미 껍질 벗듯 육신의 옷 가벼이 벗어 놓고 가고 싶은 곳으로 마음대로 화생할 수 있게 되니, 스님들이 스님의 길을 가는 이유 중의 하나가 또한 이에 있는 것이다.

다 죽어 가는 망나니가 목숨 떼놓고 공부한 칠 일의 용맹정진이 삼매에 들 수 있었고, 법신되어 사자의 눈을 벗어날 수 있었으니, 우리 누군들 발심하여 공부하면 망나니만 못하겠는가! 안 죽으려 발버둥 하는 힘으로, 용맹정진의 공부를 하여 생사를 초월할 수 있는 인연되길…….

여인과 스님 · I

　어느 방패라도 뚫을 수 있는 가장 날카로운 창(矛)이 있는가 하면 어떤 창도 막을 수 있는 뛰어난 방패(盾)가 있으니, 창 모(矛) 방패 순(盾) 그래서 세상살이는 바로 모순(矛盾)인 것이다. 모순된 세상사를 조화롭게 만들려는 노력 역시 모순일는지 모른다.

　그러나 모순이 조화요, 조화가 모순이며, 모순과 조화마저도 뛰어넘는 더 큰 조화의 영역이 있으니, 우린 또 노력을 계속하며 살아 가고 있는 것이리라.

　스님 생활의 시작이 여인 보기를 독사보다 더 무섭게 보라는 가르침으로 시작된다. 처음이나 끝이나 스님과 여인은 조화될 수 없는 철길의 평행선인 양 인식되어 왔고, 그렇게들 가르치고 배워 왔다.

　그러나 가장 조화를 요구하고 조화로워야 할 사이가 스님과 여인인 것 같다. 여인의 몸을 빌어 세상에 태어 났고, 여인의 가슴팍과 등허리에서 자랐으며, 이 승려 같은 경우는 여인들 속에서 살아간다(신도의 90%가 여인이니까). 아니, 인구의 반이 여인이니, 여인을 독사보듯 무서워해서야 어찌 살겠는가! 선현의 가르침 역시, 조화를 이루라는 말씀이지, 여인을 독하고 몹쓸 존재로 떼어 놓으란 말씀은 아닌 것이다. 선현들의 족적을 보더라도, 궁궐에서 거친 옷 거친 음식으로 생활하며 남편의 도가 원만히 이루어지기를 하루같이 기원했던 야소다라 왕비가 없었다면, 어찌 석가 부처가 계셨겠는가! 아들 라홀라를 앞세워, 얼마든지 방해할 수도 있었던 왕비가 아니었던가! 요석 공주 없는 원효를 또한 생각할 수 없다. 요석의 사랑과 보이지 않는 희생의 뒷바라지가, 원효 스님이 원효성사 원효보살로 거듭나는 힘이 되었고, 의상 대사 역시 선묘의 목숨 던진 사랑과 헌신이 없었다면 어찌 가능했겠는가?

큰사람 뒤에는 언제나 훌륭한 여인들이 있었음을, 우리는 역사를 통해 배워 왔다. 지순한 사랑과 헌신은 모순을 벗어나 아름다운 세계, 더 큰 조화의 세계를 여는 힘이 되는 것이다. 문제는 진실되지 못한 물든 마음에 있는 것이지 「남과 여」「스님과 여인」에 있는 것은 아니리라. 재색지화(才色之禍)는 심어독사(甚於毒巳)라는 가르침에 길들여진 마음을 내려 놓고, 오늘은 어느 성직자의 「여인 신성론」을 끝으로 맺음하고 싶다.

「무릇 꿇고 공경례하기엔 너무 아름답고, 끌어안고 사랑하기엔 너무도 신성한 존재, 그대 여인이여!」

여인과 스님 · 2

  어느 스님의 도덕성을 의심한다는 제하에, 여인이 등장되는 불교 신문 기사를 읽었다. 얼마 뒤 다른 신문에서, 스님의 체면과 위신을 손상시킨 자신의 발언을 참회한다는, 그 여인의 얘기를 또 접하게 되었다. 신문에 회자되는 스님이나 여인 그리고 그 주위에 얽힌 사람들의 아픈 반연들이 서글프게 느껴지면서, 한 여인의 아름다운 모습이 떠오른다. 선묘! 의상 대사의 수호신이 된 선묘라는 여인! 이름보다 더 아름다웠을…….
  스님이 중국 유학길에 병을 얻어 고생할 때, 모든 정성을 기울여 간호를 했고, 싹튼 애절한 사랑을 모질게 삭이면서 스님을 공부의 길로 떠나 보냈던, 칠팔 년의 세월을 알게 모르게 스님의 뒷바라지로 청춘을 보내고도 큰스님 되어 돌아온 사랑하는 이를 기약없이 다시 또 보내야 했던, 죽어서라도 님의 꽃이 되겠다고 발원하며 바다에 몸을 던진 선묘 낭자! 진정 수호신되어 의상의 발길마다 빛이 되고, 숨결마다 꽃이 되었던 여인이었다.
  의상 대사가 부석사를 지으려 할 때, 도적떼의 방해가 있자, 돌이 되어 도둑들의 머리에 춤을 추어 도둑을 몰아냈던 그 혼! 의상 대사는 그 자리에 절을 짓고, 돌이 떠 있었다 하여 부석사(浮石寺)라 이름하였으니, 죽어서까지 자기를 지켜 주는 선묘의 혼을 기리어 선묘각을 세운 스님의 따뜻한 가슴!

그들의 관계가 신앙적으로 미화된 아름다운 전설이라 일축할 수도 있겠으나, 스님의 인간적인 입장에서 볼 때, 자신을 위해 청춘을 바치고, 그것도 모자라 목숨까지 받친, 선묘의 애절한 사랑을 어찌 잊을 수 있었겠는가!

의상이 의상될 수 있었던 힘이 선묘였고, 선묘의 희생과 꺼지지 않는 사랑이 의상을 거듭나게 하는 힘이 되었으니, 부석사의 선묘각이 아직도 그 애틋하고 지순한 사랑을 증명해 주고 있지 않은가! 신문에 회자되는 여인이나 우리 스님네, 이 이야기를 모를 리 없으련만……

문득 내 자신이 돌아봐진다. 포교 생활 십수 년! 수많은 아픔의 무게들을 버텨 낼 수 있었던 것도, 이 못난 중을 위해 희생한 세 과부의 넋이 지켜 준 은덕이 아니겠는가 생각해 본다. 어려운 고비마다, 견디기 어려웠던 아픔의 순간마다 나를 지탱해 준 그들의 한맺힌 사랑! 그리고 알게 모르게 사랑을 주고 간 고운 마음들.

나이가 들수록 산으로 오라는, 산에 와서 살자는 산신들의 유혹이 점점 무게를 더해 간다. 때론 하루에도 여러 번, 다 놓아 버리고 산으로 가고픈 마음 간절하다. 그렇지 못함이 병이 되어 병원 신세를 지면서도, 포교의 원을 저버리지 않을 수 있었던 것도, 부처님과 세 여인에 대한 약속의 힘이었으리라(죽는 날까지 포교하다 부처님전에 이 몸 홀홀이 사루어 소신공양하겠다는).

어줍잖은 시를 짓고 이런 글을 쓰는 것 역시, 산에 와 쉬라는 손짓에서 벗어나 부처님과 여인들과의 약속을 지키고자 하는 몸부림인 것을!

포교승과 여인! 아니 누구와 누구의 관계이든, 잠깐 쉬었다 가는 우리네 인생살이, 아름다운 인연으로 살다 갔으면 한다.

인도네시아 봉불식

영광스런 이 날을 갖기 위하여
수많은 꽃잎이 피고 또 지고
그렇게도 험한 길을 부처님 찾아
아름답게 피어나는 나의 연꽃

봉불식이 끝나고 찬불가 공양이 법당을 장엄하고 있었다. 법상 아래 앉아 있는 신도들 너머 확 트인 뜨락, 이어지는 하 넓은 차밭, 그 뒤에 둘러쳐진 산봉우리 봉우리, 그 위를 맴도는 몇 점 구름 사이 이쁘게 놓인 무지개. 실비 오는 하늘에 찬불가 범음이 법계를 장엄하는데, 아! 모슬렘의 땅! 이국에 묻혀진 대승불교의 싹이 터지는 기쁨의 오열인가? 합창단의 한 구석, 가녀린 흐느낌이 환희의 울음으로 번져 온통 눈물 바다 되었다.

홀연히 일어서라 이 날이 왔네
이땅에 밝은 태양 비춰 오도다!

결국 찬불가는 끝을 내지 못했으나, 하늘도 땅도 사람도 부처도 중생도 하나되는, 선정의 순간이었다면 지나친 표현이 될까? 찬불가가, 스님이 살아온 편린 같아서 울지 않을 수 없었다는 합창단의 말. 그러나 정작 안온하기만 했던 이 가슴은, 살아 온 무게 때문이었을 게다.

포교의 원을 세운지 십수 년, 그것이 관음신앙도 미륵신앙도 미타신앙도 아닌, 뒤에 숨고 밑에 숨어 모든 공덕을 석가와 미륵과 미타에 회향하는(나보다 외롭고 추운 이를 위해 속옷까지 벗어 주고 알몸됨이 부끄러워 땅 속으로 숨어 버린, 땅 속의 지옥 중생. 또 그들마저 안타까워 지옥이 다하기 전 성불하지 않겠다고 맹세하신 지장보살. 그의 원과 행을 본받아 실천하고 살아 가는) 지장신앙! 새로운 신앙도 아니지만, 드러나지 않던 신앙. 드러내려고 하다 보니 부딪쳐야 했던 많은 상흔들.

왜 하필 유행하는 신앙이나 현대인에게 인기 있는 선(禪)사상 등을 선양치 않고 묻혀진 지장신앙을 꼭 해야 하느냐고 도반들에게 충고도 들었다. 선(禪)사상이나 여타 신앙들이 잘못되고 싫어서가 아니라 그 신앙을 했던 사회가 이미 썩었고 그 신앙들 속에 굳어 버린 「주쇼」하는 의식을 버려야 하겠기에, 남을 위해 속옷까지 벗어 주는 지장신앙을 택하게 된 것이다.

부처님께서도 「내(석가)가 가고 미륵(메시아)이 오기 전 무불시대에, 모든 중생을 너(지장)에게 부촉하노라」라고 말씀하셨기에 곳곳마다 수천 불의 지장보살님을 봉안케 되었고, 이국땅 회교도의 나라에 석가 부처님과 함께 백여덟 분의 지장보살님을 모시는 인연이 되었다.

산속 불교에 익숙해 있고, 여타 신앙에 굳어 버린 신도들의 몰이해 내지 포교에 대한 불자들의 인식 부족을 겪어야 했던 성숙의 핏자국! 수 년을 따라 다닌 제자들은 알고 있었기에 찬불가 속에 눈물로 오열했으리라!

「불자 두 사람이 길을 가게 되면 절대 한 길로 가지 말라! 갈라서

법을 전함이 더 큰 포교의 공덕이기 때문이다.」

그 말씀 실천하시며, 결국 전법 포교의 노상에서 생을 마치신 석가 부처님! 그분의 크신 족적을 어찌 천만 분의 일이라도 따를 수 있으며, 아픔과 고독, 슬픔과 고뇌마저도 사랑할 수 있는 가슴을 알게 하신 은혜, 어찌 다 갚겠는가! 짧은 머리 하얗게 변하는 날까지 전법 포교하다, 부처님이 주신 가슴 올올이 태워 소신공양 올리겠다는 서원 실천하는 길만이 나의 길이 아니겠는가!

잊혀지지 않는 ○○ 스님

모 사찰 뒷방에 천덕꾸러기 취급받던 ○○ 노스님! 혀가 짧아 말이 분명치 않았고 왜소한 체구와 어린아이 같은 행동이 아랫사람들에게 위엄을 줄 수 없었던, 나 역시 무심히 대했던 스님이셨다.

어느 날 밖에서 같은 차를 타고 돌아오게 되었는데, 자신의 자리를 내주시며 부득부득 앉으라 하셨다. 노스님이 젊은 중을 앉히려 함이 아무리 생각해도 당시엔 이해가 되지 않아 정말 모자란 분인가 생각했다.

세월이 지나 스님을 생각할 때마다 얼굴이 붉어진다. 진정, 가슴에 우러나는 천진한 자비를 모자람으로 받아들인 철없는 어리석음에 또 한 번 얼굴이 붉어 온다.

버스 정류장에서 절까지 거리가 꽤 멀어 몇 번을 쉬는데, 넓은 바위에 앉으셔서 옷고름을 고쳐 매시며 보따리를 머리에 이시기에, 「스님 내려 놓으세요」 했더니, 「에이! 소중한 것을 어찌 내려 놓누!」 하신다. 무엇이 얼마나 소중하기에, 쉬는 데도 머리에 이고 계셔야 하는가? 궁금하기 짝이 없었다. 저 모자란 분이 저리도 소중히 여기는 것은 무엇일까?

「스님 무엇입니까?」

「응! 시주받은 거야!」

「시주받은 것이 무엇입니까?」

「응 시주받은 거지!」

　열 번 물어도 똑같은 대답이 나올 것 같기에, 더 묻지 않았으나 그 내용물이 정말 궁금했다.

　절에 당도하여 부처님께 인사 올리는데, 그 보따리를 부처님 단상에 올려 놓으시고 향을 피우시더니 정성스럽게 삼배를 하셨다. 그리고 바로 총무 스님 방으로 보따리를 들고 들어가시기에 궁금도 하고 인사겸 따라 들어갔더니, 보따리를 땅에다 놓지 않으시고 한 손으로 받쳐 들고 한 손으로 보를 끌러 아들 같은 스님에게 상감마마에게 물건을 진상하듯 받쳐 올리니, 웃음을 참으며 호기심으로 쳐다볼 수밖에. 펼쳐진 보따리 속에서 나온 것은, 절집에서 흔하디 흔한 경책 한 권과 권선문(불사하기 위해 시주받는 돈의 액수와 주소, 이름을 적는 책) 한 권이었다. 책도 책이려니와 권선문에 적혀진 금액 또한 너무 작은 액수들이었으니, 호기심에 찼던 내 표정이나 총무 스님의 표정은 똑같을 수밖에!

　세월이 지나, 스님 입적하신 지도 꽤 오랜 시간이 흘렀다. 나이 먹고 철이 들어 외롭고 어려울 때 생각해 보는 가장 큰스님! 권위도 위엄도 학문도 이름도 없으셨던, 복과 덕마저도 거추장스러워 깡그리 놓으셨던 천진불! 안과 밖이 없던 그분의 모습은 언제나 이 못난 중의 정신적 지주가 되어 주었으며 채찍이 되어 주었다.

그리운 사람들

참으로 사람이 그리워질 때가 있다. 수많은 군상들 속에 살아 가는 포교승이 외롭다면 잘 이해가 아니 가겠으나, 어떨 때는 부처님이 너무 멀리 계신 것 같아, 세월 넘어 가버리셨지만 이 땅에 살아 숨쉬셨던 스님들을 떠올려 본다. 나라의 기틀을 세우며, 서릿발 같던 계율로 중생을 이끌었던 원광과 자장 스님! 무애자재한 기틀 속에 중생들과 아픔도 슬픔도 같이했던 대안과 원효 스님!

그러나 너무 멀다. 살불살조(殺佛殺祖)하셨던 근세의 역행보살 경허 스님! 더 가까이, 영혼은 아름다운 시어(詩語)로 육신은 사회 참여로 불살렀던 만해 한용운 스님! 그도 멀어 곁에 모시고 함께 숨쉬었던, 우리나라 삼대율사 중에 한 분이셨던 ○○ 스님! 몇 년 전 그분의 영전에 내가 할 수 있는 최대의 꽃다발을 올렸던. 인연이 있어 옆방에서 참선한다고 쇠고기 통조림, 생선 통조림 무엇이던 몰래 먹어대던……. 좀 죄송스러워 갖다 드렸더니, 뭐냐고 묻지도 않으시고 잡수시던 스님의 뒷통수에, 「삼대율사 중에 한 분이란 분이 쇠고기 생선도 잡숫네! 무슨 놈의 율사고! 그것도 삼대율사 중에 제일 어른이시라는데……」(이 글을 혹여 읽는 스님들 계시다면 어리석어도 저렇

게 어리석은 인간이 글을 쓰다니 한 숨 쉬실 일이지만). 그분의 분상에
채식이 무엇이며, 육식이 무엇이었겠는가! 이 못난 어린 중에게나 옳
고 그름이 있고 시시비비가 가려지며, 고기와 나물이 가려질 뿐.

하루 종일 흔들의자에 앉으셔서 따스한 햇볕 쬐시기도 하고, 여름
평상에 앉으셔서 종일 부채질하시던 그분을 보며, 참으로 할 일 없는
늙은 중이라 욕을 했던, 당달봉사만도 못한 이 못난 중!

쓰실 용채가 없으신 것 같기에 돈을 잔뜩 갖다 드렸지만, 표정 하
나 목소리 하나 변함 없으셨던 여여하시던 그 모습! 참으로 그리워
진다.

나는 언제쯤 출세(出世)한 흰출 대장부가 되려는지…….

태국의 수상가옥을 바라보며

분명 피울음 쏟아지고 배고픈 신음 일렁일 곳이라 생각했던 태국의 수상(水上)가옥! 철석이는 낭만만이 주렁주렁 달려 있음은, 관광객의 감상어린 시야 때문만은 아닌 것 같다.

강바닥에 말뚝 박고 판때기나 대나무 조각으로 얼기설기 엮어 매고, 지붕은 양철조각들로 헤진 옷 꿰매 입듯 누덕누덕 기워 만든, 우리의 원두막 같은 물 위에 뜬 집. 더럽다 못해 시커먼 강물. 그곳에 목욕하고 양치하며 대소변까지 해결하는 그들 모습이 결코 불행해 보이지 않음은, 승려의 눈이기 때문일까?

그렇게 더러운 환경 속에서도 지붕 끝에 대롱대롱 화분들이 춤을 추고, 작은 잠지 내놓고 오줌 누던 아이놈, 가까이 접근하는 유람선에 물총 쏘듯 고추를 휘둘러대던 그 눈망울엔 천진함이 동골거렸다.

직접 보지 않고서는 상상하기 힘들 정도로 더러운 환경이지만, 소독하지 않아도 전염병 한 번 걸리지 않고, 몸도 마음도 오염되지 않은 그들의 생활은 불가사의가 아닐 수 없었다. 아마, 그들의 무의식 저 밑바닥에 흙탕물에 뿌리 박고 곱게 피어나는 연꽃의 영혼들이 깃들어 있기 때문이리라!

삶의 모습이야 천층만층 구만 층이라 하지만, 마음의 창을 열고 보면 어느 것이 밉고 어느 것이 고우랴!

배고픔이 낭만일 순 없겠으나, 가야금으로 떡방아 찧고, 나물 먹고 물 마셔도, 맑은 하늘에 시조 가락 띄우던, 우리네 할아버지 할머니 계셨으니, 물들어 뒤범벅이 되어가는 요즘 사람들! 우리 한 번 크게 놓아 버리고, 고요한 마음으로 현실 넘어, 할아버지 영혼의 소리를, 탯줄 넘어 할머니 말씀을 들어 보았으면 오죽이나 좋을까. 우리들 뒷간과도 도저히 비교될 수 없는 수상가옥. 선택과 비교의 모순에 길들여진 눈들에도 그 아름다움이 보였으면 좋으련만.

자항사 등신불

대구·서울·자카르타·방콕 돌아 도착한 타이페이, 한 귀퉁이 자항사! 피곤과 졸음이 쏟아지고 비와 어둠으로 굳게 잠겨진 자항사의 밤은 깊은데, 등신불 자항선사 친견을 포기하고 돌아서려는 면전에, 먼길 다녀 오신 자항사 주지 스님. 내일 오실 날인데, 이상하게 오고 픈 생각이 자꾸 들어 밤 늦게 오게 되셨다네.

이 어찌 부처님의 가피 아니며 지장대성의 위신력 아닐런가! 지장 화신 자항 선사의 배려였으리라! 닫친 문 열리고, 졸던 석등에 연꽃 피어 나고, 돌사자의 눈빛마저 밝게 빛났네. 맞이하는 등신불 자항 스님, 그 숨결 분명 일렁였으니……

「내 죽은 뒤 삼 년 지나서 관을 열되, 시신이 무너지지 않았으면 부처님 가피와 수행공덕이 헛되지 않았음이니, 내 몸뚱이에 금을 입혀, 공덕의 증표로 삼게 하라! 그렇지 않고 시신이 썩었거든 모두 부질 없는 것들이니 싸잡아 불사르라는」 유언하에 지장전 병풍 뒤 단지(관) 속에 드시니 삼 년이 지났는데도 제자들은 (관을 열었을 때 벌어질 제반의 문제로 인해) 두려워 열지 못하고, 이 년 세월이 더 흐르게 되었다네.

세인들의 관심과 여론, 불자들의 바람과 합의에 의해 오 년만에 관을 여니, 아! 성사의 모습, 생시의 그대로였고, 얼굴빛 금색광명 더욱 빛나고, 가부좌한 자태는 그대로 살아 계신 부처였다니. 하늘의 용신들 비를 뿌리고, 오색무지개는 하늘과 땅을 이었다네!(법주사 미륵불상 점안식에, 세 차례나 꽃비 오고, 맑은 하늘에 무지개 띄운 뜻과 무엇이 다르랴)

중국의 모든 불자들이 믿음과 지혜와 수행의 증표로 선사의 육신을 금으로 장엄하니, 이름하여 등신불.

자항 스님 등신불되셨다네!

아! 자항이여! 자항이여! 지장이여! 석가여! 스승들 오신 뜻 분명하니, 천만 리 산 넘고 물 건너 경배하는 인연되었도다! 말법의 세월이 하도 아리어, 임들의 숨결따라 예까지 왔음이 또한 헛됨이 아니려니.

자항이여 석가여! 만중생의 임이시여! 그대들의 금색광명, 온누리에 뿌리게 하리라! 온 법계에 뿌리리다!

동남아 기행단상

세계의 불가사의! 인니 보로부들 사원의 그 장엄함, 싱가포르의 그 깨끗함, 태국 에메랄드 사원의 찬란함, 새벽 사원의 신비, 몽콜 사원의 밀랍 스님, 대만 자항사의 등신불 등등.

모두 환희와 감동이었으나 돌아와 되짚어 생각하니, 눈에 어리는 것은 선상가옥! 오줌을 따발총처럼 갈기며 깔깔거리던 꼬마놈의 웃음과 고추였다. 태국의 자긍과 자존심을 대변하듯, 에메랄드 사원과 왕궁의 안내자는 결코 외국인일 수 없다는 조건 때문에, 무려 한 시간 반을 기다려야 했던 태국 안내인의 인상 또한 잊혀지지 않는다. 고개를 베틀고 「미안해용! 제가 공처가라. 마누라가 다섯인뎅 넷째 년이 강짜가 심해용, 지금까지 뿌잡혀 혼나다 왔어용」. 콧소릴 내면서 아양 떠는 모습, 혼났다는 얼굴에 익살이 주렁주렁하다.

「아싸 호랑나비! 오늘 행복, 내일은 몰라!」

어깨를 들썩이며 근엄한 사원 참배와 왕궁 관광을 배꼽 쥐게 안내했던 태국인 가이드! 에메랄드 사원의 옥으로 빚은 부처님보다 그가 더 가까이 기억됨은 살아 숨쉬는 동질성 때문일까?

왕궁을 나와, 태국의 다른 일정을 안내했던 미스터 임이라는 한국인 안내원의 말 또한 잊혀지지 않는다.

「태국 똥개가 아침 식사로 똥을 먹는데 지나던 서양 쉐퍼드가 품위 없고 더럽게 똥을 먹느냐고 비양거리자, 똥개가 기분 나쁘다는 표정으로 한 마디 던졌다. 왜 남의 맛있는 아침 식사에 더러운 똥 얘기를 해서, 식사 망치게 하느냐고.」

지저분한 중국인 거리와 수상가옥을 지난 뒤 던진 우스개 소리였지만, 한 번쯤 생각해 보게 하는 뼈 있는 말이었다.

대만에서 우리를 인계받은 대만 안내원, 삼십대 중반의 노총각인 그는 또 다른 색깔의 사람이었다. 가이드를 하면서 석사과정을 밟는다는, 자유분방한 그의 언행 속에 세대 차이와 살아온 방법들이 전혀 틀린 이질감을, 모두 함께 느꼈다. 이 부장(처음부터 끝까지 여행안내 책임을 맡은 여행사 직원)의 그저 조마조마 했다는 말에 공감할 수 있었다. 그러나 그 나름의 최선을 다하는 몸짓에서, 늦은 나이지만 공부를 하려는 성실과 노력이 엿보였음은 또 하나의 삶의 모형이었다.

싱가포르·말레이지아·인니·태국·대만을 돌아보며, 전체적으로 비슷한 느낌이 있었다면, 지나가다 물벼락을 맞아도, 그 시각에 그곳을 지나간 자신의 운세가 나빴다는 식의 사고와, 못 사는 것 역시 자신의 게으른 탓이요, 전생에 보시 못한 인과이니 잘 사는 사람 시기할 이유가 없다는 대답 등.

이러한 것들이 물론 적극적인 사고는 아니었으나, 남의 탓하지 않고 순리대로 적응하며 조화해 나가는 긍정적인 삶의 모습에서, 배워야 할 부분이 많았었다는 점과, 분석적 서양사고에 물들어 가는 요새 사람들에게 양파껍질을 벗기고 나면 남는 것은 공허뿐이니, 양파를 조화롭게 보존할 수 있는 동양적 사고의 아름다움에 눈들을 돌렸으면 하는 마음이었다.

곡괭이 앞에 선 스님

경상도 지방에서 포교할 때의 일이다. 경산에서 칠팔십 리 떨어진 작은 마을 작은 절에, 어린이·중·고등학생·대학생 그리고 청년부를 만들었다. 그래서 일손 돕기, 마을 청소하기, 길가에 꽃심기 등 봉사활동을 하며, 저녁에는 야학을 운영하는 등 농촌 계몽을 수행 삼던 젊디 젊은 시기였다.

청소년들이 늘어 나고 야학의 학생들이 불어남에, 작은 법당과 방 두 칸의 요사채로선 감당키가 어려워 청소년 회관을 지어 보기로 마음먹고(회관이라야 20평도 못 되는) 일손되는 청년들을 모아 밤새워 벽돌 찍고, 산에서 경운기로 돌 날라다 기초 다지며, 어린 고사리손들까지 합세하여 불사를 이루어 가니, 경험과 기술이 전혀 없는 손들의 작품치곤 그럴싸하여 갔다. 페인트만 칠하면 단장이 끝나는데, 생각지도 않은 경고장이 날라왔다(무허가니 철거하라는). 그런데 담당자를 만났더니 사유인즉 타종교에서 압력이 들어오고 있으니 어쩔 도리가 없다는 것이었다. 오히려 면사무소 직원들이 손이 발이 되도록 사정하며 철거를 하게 해달라니, 기가 막힌 노릇이었다. 결국 철거반 예비군들이, 곡괭이 들고 나타나게 되었다. 아이들은 파랗게 질리고, 순박한 청년들은 뭐가 잘못되어 불똥이 자신들한테 튀지 않을까, 뒤에 숨어 코도 안 내미니 참으로 난감했다. 마음 같아선 「그래! 다 때려 부셔라! 죽을 때 짊어지고 갈 것도 아니고, 몇 달 고생이야 수행으로 생각하면 되는 것이니」라고 포기하고 싶었다. 그러나 겨울에 불없이 마루바닥에서 떨어야 할 아이들을 생각하니 정신이 번쩍 났다.

곡괭이 앞을 막아섰다.

「어느 누구든 이 회관에 털끝 하나라도 손상을 입히면 벼락을 맞으리라! 부처님과 호법신장들이 반드시 계시니, 원력으로 지은 이 집에, 곡괭이질 하는데도 벼락이 없다면, 내가 그 곡괭이에 맞아 죽으마!」

어디서 나온 힘이고 배짱이었던지. 날씨가 끄므룻 했었는데, 비가 오기 시작했다. 이러지도 저러지도 못하고 있던 철거반원들이 「정말 벼락 때릴 모양이다 도망가자!」하며 두어 명이 달아나니 모두다 도망가고 말았다.

텅빈 마당에 빗줄기가 더욱 세차게 쏟아졌다. 어디에 숨어 있었던지, 청년과 어린아이들이 다함께 나와, 눈물인지 빗물인지를 닦으며 말없이 서 있었다. 그 뒤엔 철거하라는 소리도 없었고, 아이들은 추위를 면하고 공부할 수 있었다.

몇 달 전 그곳을 지나게 되었는데, 내가 떠난 지 십여 년이 되었건만 지금도 회관이 그대로 서 있었고, 「청소년 불교회관」이라고 벽에 쓴 글자마저 아직도 선명함을 바라보며 잠시 차를 세우고 감회에 젖어 보았다.

망상 I · 중

　남자중 · 여자중 · 남신도 · 여신도를 일컬어 사부대중(四部大衆)이라 하는데, 줄여서 「대중」이라고도 하고 「중」이라고도 부른다.
　이조 오백 년의 숭유억불 정책이 만든 서러운 이름, 중! 아직도 그 찌꺼기가 사전에도 신문에도 남아 있어, 응당 스님이라 불러야 할 자리에도 중으로 비하하여 부르고, 때론 유식한 학자님 · 방송인 · 이교도 들의 북이 되기도 한다.
　시골길 버스에선 중님, 중아저씨, 중할아버지, 중오빠 대우받기도 힘든 이름! 중들이 중노릇을 잘한다면, 중이란 말이 정겹고 친근하고, 다정하고, 은근히 동경하고, 존경도 해 볼 수 있는 이름이 되련만 ……. 이대로 가다간 한국의 중님들 위상이 어떻게 되는지?
　철저히 계율을 지키며 사회적으로 존경받는 남방불교의 스님들 모습도 못되고, 결혼 생활을 하면서도 수행 정진을 게을리하지 않고 학위들을 취득하여 사회를 계도해 가는 일본 승려들의 대중적 모습도 닮지 못한, 어중뻥뻥한 우리 승려들의 위상을 앞으로 어떻게 정립해야 하는 것일까?
　새벽 예불을 알리는 종소리 따라, 대웅전 뜨락 쏟아지는 달빛 속으로, 가사 장삼 펄럭이며 휘적휘적 걷는 모습! 그대로 도솔천 내원궁의 보살들이었건만…….

울렁이는 가슴 억제치 못하여 삭발하고 만 것이 엊그제 같은데, 대웅전 댓돌의 찬란한 달빛이 빛바랜 현실로 자리하고 있으니, 이 아픔들을 어찌 감당해야 하는 걸까?

전생
산자락
그늘되어
중이 되었소
전생
장삼자락
업이 되어
또
중이 되었소.
산자락
장삼자락
그리워
다음 생
또
중이 될라오!

망상 2 · 고향

　조개 잡고 다슬기 줍던 샛강, 송사리 쫓고 물장구치던 냇가! 벌거
벗은 몸으로 풀잎에 잠지까지 베어 가며 살금살금 기어서 감자서리
수박서리 콩서리 참외서리하던……. 들킬라치면 수박 · 참외 머리에
이고 고추 내놓은 채 한두 시간 벌을 서야 했던 하천부지 그 원두막.
베잠뱅이 걸치고 꼼방대 문 원두막의 할아버지, 무섭지만 밉지 않았
던……. 함께 벌 받던 오쟁이 부뚤이 그리고 짤랭이. 그들이 보고 싶
어 어느 날 갑자기 찾았던 고향 마을에 옛 주인들 다슬기 송사린 어
디 갔는지? 시커먼 건물들이 새 주인되어 있고, 원두막 할아버진 세
월따라 가셨는지……. 그리운 벗들 인연 따라 흩어지고, 낯선 이들만
사는 고향 마을. 내 살던 집 보고파 들려 보니, 박넝쿨 그득하고 단호
박 주렁주렁 아름답던 초가 지붕은 자취 없구. 싸릿대 얽어 만든 울타
리와 사립문도 모두 다 바뀌어 버린 낯선 고향집.
　아, 저만치 마당 귀퉁이 낯익은 절구통, 증조할머니 · 할머니의 세
월 빻아지고 어머니 청춘 부서진, 세 청상과부의 한(恨)들이 찧어지
고 빻아진, 보리 알맹이 튀어 나오듯 내 꿈이 톡톡 튀어 나오던 우리
집 절구통! 세월의 무게에 눌리어 반쯤 흙 속에 묻힌 채로, 거미줄

쓰고 저만치 누워 있었지. 깨고 보니 꿈이었어. 그것도 어느 하늘을 날고 있는 비행기 안이었지.

　고향? 잠깐 쉬었다 가는 인생길, 머무는 곳이 고향이라면……

　　　내 집은 어디멜까
　　　설법하는 법상월까
　　　잠을 자는 침상월까
　　　가다 쉬는 바위월까
　　　꿈속의 고향일까

　　　내 집은 어디인가
　　　보석 같은 별빛월까
　　　타오르는 태양월까

　　　사해(四海)가 내 뜰이요
　　　대천세계 울 안인데
　　　주장자 짚은 가슴
　　　천지를 감는구나.

마음의 눈

방울아!
몸 밖에 있는 눈
앞을 보지만
몸 안에 있는 눈
뒤를 본단다

몸 밖에 있는 눈
하늘 보지만,
몸 안에 있는 눈
영혼 본단다

눈에는 참으로 많은 종류의 눈이 있단다. 스님들 세계에서 말하는 오안(五眼)을 들더라도, 사람이 지니는 육안(肉眼), 하늘 사람들이 지니는 천안(天眼), 불교 선현인 성문(聲聞) 연각(緣覺)의 혜안(慧眼), 보살이 지니는 법안(法眼) 그리고 앞의 네 가지 안을 다 갖추신 부처님의 불안(佛眼)이 있단다.

육안에도 캄캄한 세계를 볼 수 있는 부엉이의 눈, 물 속에서도 볼 수 있는 물고기 눈, 사람이 볼 수 있는 능력을 확대시킨 망원경·현미경·안경·콘택트렌즈 같은 요지경의 눈들…….

그러나 방울아! 눈이 있어도 특정한 색깔만 볼 수 있는 색맹의 눈도 있단다.

방울아! 신통스런 눈이나 동물세계의 눈은 갖출 수 없겠지만, 인간이 가질 수 있는 인간에게만 축복되어진 또 하나의 눈이 있단다. 노력하기에 따라, 마음 쓰기에 따라 지닐 수 있는 「마음의 눈이라는 것」말이다.

김소월·김영랑이 가졌던 아름다운 눈도, 헬렌 켈러와 호킹 박사의 거룩한 승리의 눈도, 다 마음의 눈이었단다. 부처님이나 예수님 역시, 이 따스한 마음의 눈을 지니셨던 분들이었단다.

너와 나를 초월하고 나라와 민족, 세월마저도 초월할 수 있는 이 마음의 눈! 꼭 지닐 수 있도록 방울인 노력해야 한단다. 스님도 더 열심히 공부하여, 누구나 따스히 바라볼 수 있는 마음의 눈 지니도록 노력하고 또 노력하마.

가을의 문턱에 서서

　사랑해 보지 못한 동승(童僧)의 머리처럼 파랗게 다가오기도 하고, 허허로운 스님의 뒷모습처럼 때론 노승의 장삼처럼 잿빛으로 다가오는 산 그림자! 산 그림자 벗하며 사는 살림살이 거둘 것 없지만, 가을빛 스미는 계절이 오고 보면 한 번쯤 뒤돌아보는 시간이 된다. 무엇을 위해 바빴고, 누굴 위한 시간들이었나?

　올봄, 이 승려에게는 참으로 외로운 계절이었고, 그 외로움 뜨겁게 익힌 여름이었다. 누군 스님에게도 봄이 오고 외로움이 오느냐고 묻겠지만, 누구의 가슴에도 봄은 오고 외로움은 오는 것. 그러나 스님의 외로움은 곱게 가꾸어져 기도로 피어나고 활활 타 중생제도의 대불사(大佛事)도 이루니, 속인의 외로움과는 좀 다르겠으나 외로움과 괴로움이 올 때면, 조용히 부처님의 독백을 듣는 일이 이젠 버릇처럼 되었다.

　「아! 나에겐 이제 스승이 없다. 믿고 의지할 스승이 없는 외로움은 죽음보다 더한 고통이다.」

　부처님이 이렇듯 외로우셨으니, 어찌 스님인들 외롭지 않겠으며 속인이야 말할 나위 있겠는가? 외로움도 내 삶의 조각이기에, 외로움을 사랑할 줄 아는 것 또한 삶의 지혜려니…….

봄에 외로움 다듬어 두 권의 시집을 냈다. 여름엔 괴로움 승화시켜 인도네시아에 공덕원 포교당을 개설하고, 뉴욕과 버지니아에도 청년 법회를 만들었다. 신앙이라는 변압기가 내 아픔들을 커다란 에너지로 바꾸어 일들을 하게 하였으니, 그저 불전(佛前)에 머리 조아리며 아프고 고독한 이들에게 신앙을 권고하고플 따름이다.

가을 문턱에 서서 뿌린 씨앗들이, 각자의 가슴에 알찬 열매로 수확되었으면 하는 마음이다. 그리고 다시 한번 부처님전에 발원올려 본다.

　　부처님이시여!
　　견성(見性) 오도(悟道) 원치 않고
　　성불(成佛)하기 더욱 원치 안사오니
　　그저
　　이웃 사랑할 수 있는
　　사람되게 하소서
　　자신 돌아볼 줄 아는 사람되게 하시고
　　모든 이 칭송할 수 있는 사람되게 하소서!

그리고 이 계절의 외로움도 괴로움도 그리움마저도, 곱게 안아 가꾸겠다고 다짐하며 불전(佛前)에 시(詩) 한 수 바쳐 본다.

　　님이시여!
　　저에게
　　외로운 사막을 일구게 하셨습니다
　　사랑의 초원도 일구게 하셨습니다
　　불행의 늪도 일구게 하셨습니다.

일구오리다!
외로운 사막도
사랑의 초원도
그리고 불행의 늪도
님의 선물이기에…….

가꾸오리다!
초원보다 더 아름다운 사막을
그리고 더 장엄된 늪을
님이 주오신 선물이기에…….

이 가을엔 모든 이의 영혼에 가꾸고픈 그리움이 고이기를 합장해
보며…….

병원과 스님

신도 한 분이 은근 슬쩍 질문을 한다.

「스님! 도인도 병원엘 가나요?」

「왜?」

「글쎄 종정 스님이 모 병원에 입원해 계신데요.」

「그런데 왜?」

「왜라니요? 우린 여태 엉터리 도인한테 속은 거잖아요……!」

기가 찰 노릇이다. 큰스님은 병원에도 가서는 안 된다는 이야기다.

얼마 전 신도들과 방생을 간 일이 있다. 남녀 화장실이 붙어 있는 공중변소에 들어갔는데 난리가 났다. 여섯 살짜리 현미하고 일곱 살짜리 현정이가 엄마와 이모를 불러대며, 「스님이 똥누러 왔어! 스님이 화장실 들어갔어」라고 떠들어댄다. 제 엄마가 입을 틀어막는데도, 난리난 양 소리를 지르는 고놈들 덕분에, 볼일도 시원하게 보지 못하고 나온 일이 있었다. 부처님이나 예수님인들 생리현상을 어쩔 수 있으셨겠나?

그러나 큰어른들과 성직자들의 일거수 일투족은 세인들에게 영향을 끼치니, 화장실 출입마저도 조심하여야 할 것 같다. 나 같은 작은 승려는 여신도와 단둘이 분위기 잡고, 커피 한 잔 마셔 본 기억이 없다.

자장면이 먹고 싶어도 여신도와 단둘이는 중국집에 갈 엄두도 못내 보는 쫌생이 스님이다. 그러나 걸림없이 행동하시는 스님을 한 번도 부러워해 본 일은 없다. 철저한 성직자는 철저한 위선자가 되어야 한다는 말, 가슴 깊이 새기고 산다. 특히 포교승에게는……. 위선이라고 해서 다 위선이 아니다. 진실이라고 해서 다 진실일 수 없다. 경우에 따라서는 진실이 거짓이며 거짓이 진실임을 우린 잘 알고 있다. 술독에 빠져 자비방광할 수 있었던 진묵 스님이나, 여인의 배에 올라 앉아서도 여여했던 경허 스님의 괴각도 있었지만, 걸림 없는 대자유인으로 살다간 그분들의 행장에 이의를 달 사람은 없다. 그렇다고 꼭 그분들의 행동을 닮아야 할 이유도 없는 것이다. 차별 없는 무위대법(無爲大法)에서는 살인·방화마저도 법계를 장엄하는 몸짓이요, 네 것이 내것이며 내것이 네것으로 받아들여질 수 있지만, 차별 있는 유위분별법(有爲分別法)에서는, 위 아래가 있고, 네것 내것이 있으며, 네 마누라 내 마누라가 구분될 수 있어야 한다.

성현도 무위대법 속에, 차별법을 쓸 줄 알아야 한다 이르셨다. 현상법인 차별법을 무시하고 이상적인 대법만을 고집하면, 집단자살의 오대양 사건을 일으킬 수밖에 없고, 부모 형제 자식마저도 버리는 패륜을 저지를 수 있는 것이다. 또 대법을 무시한 차별법만을 고집하다 보면, 물질과 현상에 끄달려 아귀다툼의 저속한 삶이 되기 십상인 것이다. 스님은 병원에도 화장실에도 안 간다는 천진스런 꿈에서 깨어나 어른스러운 판단을 지닐 수 있도록 신도들은 공부해야 하고, 스님네들 역시 지켜져야 할 것들은 목숨바쳐 지키는데 힘을 다하여야 될 것 같다.

글의 제목과는 조금 다른 이야기들을 했는데, 이 글을 쓰는 승려는 일 년 전만 해도 약과 병원하고는 거리가 먼 사람이었지만 어찌된 연고인지, 이제는 적십자병원 단골이 되고 말았다. 쇠가 산화하여 연기처럼 흩어지듯, 스님의 건강과 젊음도 소리없이 쇠해 가기 때문이라고 멋진 조크를 간호사가 해주었다.

왜 불교신자가 불교병원 놔 두고 하필 적십자병원이냐 하겠으나, 이유가 있다. 절집 소문은 다리에 신족통이 달려 있어, 아침에 대구에서 용산이 방귀낀 소문이 한 시간도 못 되어 미국까지 가게 된다. 절집 소문이 비행기나 기차의 열 배는 빠르니, 한방병원 입원실이 북새통이 될 것 같아 불교신자가 대체로 적은 적십자로 택한 것이다. 병원의 단골이 된 이유는 입원하면 밥 세 끼는 제 시간에 규칙적으로 얻어 먹을 수 있기 때문이다. 이런 말을 하면 정성 다해 시봉하는 사람들의 흉이 되겠지만, 포교승의 하루는(나같은 경우) 24시간을 48시간으로 쪼개 써도 모자라며 일의 끝을 봐야만 그만 두는 성격탓에 하루에 잘 먹으면 두 끼, 안 그러면 한 끼 그것도 장정 숟갈 한 숟갈 정도. 그것도 시간에 쫓겨 마파람에 게눈 감추듯 먹어 치우니 위장이나 간장이 정상일 리 없고, 그러다 보니 정기적인 입원까지 하게 된 것이다.

그리고 미안한 이야기지만 잠깐이라도 신도들에게서 벗어날 수 있다는 점이다. 찾아오는 모든 이가 고통과 아픔을 지닌 사람들이기에, 하루종일 그들과 아픔을 얘기하다 보면, 꿈속에서까지 고민을 해야 한다. 그리고 언제나 청정하고 고고하며, 자비스런 미소를 지어야 하는 의젓하신 스님에서 벗어나 간호사의 손끝에 말 잘 듣는 어린아이가 되니, 말할 수 없는 행복이 있다는 점이다. 또 하나의 입원 이유가 있다면, 목숨이 경각에 달린 병자들과 직접 만나 그들의 아픔을 함께 느끼며, 따스히 그들 손을 잡을 수 있는 가슴이 있기 때문이다. 또한 전생 형제들과 애인이 적십자병원에 있기 때문이라면 낭만적인 설명이 될까? 포교승의 말로가 6신통(六神通) 대신 6병통(六病通)이 된다는 말, 다시 새겨 보며 여섯 가지 병통을 모두 다 지니고 병원에서 아니, 길거리에서 쓰러진다 해도 포교승답게 살다 가리라고 다짐해 본다.

그림 만다라

우리 일상생활 자체가 만다라니 행주좌와 어묵동정(行住坐臥 語默動靜)이 그대로 만다라의 표현이며, 물소리 바람소리 모두 만다라 아님이 없다. 종합 통일하면 만다라요, 전개하면 우주인 것이다. 「우주의 생성 변화, 질서의 세계, 그 신비의 힘을 응축한 것이 만다라」라고 이해하면 될 것이다. 이 만다라를 음성화하면 진언(眞言, 다라니)이 되고 도식화하면 불화(佛畵)가 되니, 여기서 말하고자 하는 것은 그림으로 도식화된 불화 만다라인 것이다.

만다라가 인간과 우주의 관계를 설명하는 부분에서 우주 생성 변화의 질서, 그 힘을 인격화(人格化)하여 대일여래(비로자나불)라 하는데, 여기에 삼신(三身)사상의 신앙체계가 세워진다.

법신(法身) 대일여래를 우주 창조 자체로, 그의 분신(分身)으로 인간의 역사 속에 존재한 석가불을 화신(化身)으로 닦은 과보(果保)로 이루어진 부처를 보신(保身) 노사나불로 표현하게 된다.

불화 만다라(佛畵 曼茶羅)는 이 부처의 세계를 그려 내고 있으며, 아울러 보살·나한·호법·성중들의 세계가 함께 그려지는데, 우리나라에선 비로자나불을 주불(主佛)로 한 「화엄 만다라」로, 티벳은 대일여래를 주불로 한 「태장계 금강계 양부 만다라」로 나타난다. 「태장계 만다라」는 「대비태장생 만다라(大悲胎藏生 曼茶羅)」의 줄인 표현이고 어머니가 태아를 사랑으로 기르듯 부처님의 자비가 중생을 구제하는 정신으로 회화된 만다라이며, 「금강계 만다라」는 영원히 부서지지 않는 다이아몬드처럼 견고한 깨달음 세계를 나타낸 만다라이다. 만다라의 뜻이 무궁하듯 도식화된 만다라의 종류도 다양하나 지면상 줄이며, 불화 만다라를 그림으로 감상하는 차원을 넘어, 그 속에 응축된 우주 질서와 힘을 통해 자신의 무한한 가능성을 일깨우고, 불(佛)과 아(我)가 하나 되는 이치를 깨닫는 인연이 되었으면 한다.

도심의 포교승

산 내음 그리워 먼동이 트기 전, 아파트 숲을 나와 조금 떨어진 오족잖은 동산을 향한다.

1킬로쯤 떨어진 그곳엔 다랭이, 억새풀, 질경이, 노오란 장다리까지 만날 수 있다.

동산 귀퉁이로 흐르는 물은 좀 탁하지만 어린시절 고향 노래도 들려준다.

오늘은 새끼손가락만한 개구릴 만났다. 농약에 취했는지 물이 탁해서 그런지, 헤엄치는 팔다리가 너무 힘겹다. 기운내라 불러 주는 나의 주문 휘파람, 호이 호이 호이 호이!

쪼그리고 앉은 눈망울에 눈을 맞춘다. 너무 반가워 몇 마디 말을 건넸지만, 눈꺼풀만 여전히 껌뻑일 뿐 말할 힘조차 없는가 보다. 호이 호이 호이 호이! 휘파람 불어 주고 동산에 오른다.

못생긴 소나무, 쌍둥이 참나무, 이름 모를 풀꽃들! 이슬로 치장하고 마음껏 뽐낸다. 먼동이 트고 아파트 숲 괴물처럼 뿌연 모습 드러내니, 갑자기 동산의 생명들 긴장하고 이슬은 떤다.

일시에 터지는 자동차의 정적과 소음들! 풀잎과 이슬을 진정시키려, 나의 주문인 휘파람을 불어댄다. 호이 호이 호이 호이! 몇 번이나 불어 준다. 어느새 내려갈 시간이 되었다. 더 있다 가 달라는 「크다 가만 잔솔가지」에겐, 머리 한 번 쓰다듬어 주고 「뒤틀린 쌍둥이 참나무」에겐, 귓볼 한 번 꼬집어 주고 「풀강아지」는 옆구리 한 번 간지러 주고, 그리곤 살며시 속삭여 준다.

애들아! 저 아래 아파트 숲 사이사이엔 매연과 소음으로 찌들고, 그늘 속에 메말라 가는 네 친구들이 있단다. 그들에겐 스님 주문 휘파람이 너희보다 훨씬 더 필요하단다. 언제나 필요하기에 이 그늘 저 그늘 이 사이 저 사이 누비며, 휘파람 불어 주어야 한단다.

그러니 이해해 다오. 너희들은 스님의 휘파람이 없어도 바위굴 메아리, 갈대들의 피리 소리, 짝 부르는 초롱새 노래까지 들을 수 있잖니. 솔가지 댓그늘의 멋진 춤까지도.

애들아, 내일 꼭 다시 오마! 그동안 잘들 있어라.

사람이 그리워지는 계절

사내가 그립다.
바지가랑이 한 쪽이 짧아도
위 아래를 아는
사내가 그립다.

중이 그립다.
절 없는 중이라도
내가 부처듯
네가 부처임을 아는
중이 그립다.

여인이 그립다
못냄이 여인이라도
내 사내 모자람을
사랑할 줄 아는
그런 여인이 그립다.

아마 우리는 가장 외로운 시대에 살고 있는지 모른다. 「교사는 있지만 스승은 없고, 학생은 있지만 제자가 없다」는 얘기가 사실로 통하는 사회에 살고 있으니.

그뿐인가 아이들이 잘못해도 엄히 야단치실 어른이 가정에도 동리에도 나라에도 없어졌다. 절집 인심마저 틀려졌다면, 누워 침 뱉는 격이 되겠으나.

「집도 절도 없다」는 표현이 있다. 풀어 보면 「집이 없어도 절에 가서 살 수 있었던」 시대의 인심을 나타낸 말이다. 무엇보다도 단단한 아파트의 철통 같은 문들, 좋다는 집일수록 겹겹으로 철갑된 싸늘한 모습, 그 안에 사는 사람들의 마음 또한 그렇게 닫혀져 가는 현실들을 바라보며, 콩 서리 보리 서리로 허기 메우면서 나눌 수 있었던 지난 시절의 인정들이 그리워짐은 내 승려이기 때문일까?

떠도는 소쿠리행상 해질녁 들리면 반가이 맞아 저녁 요기도 시키고, 상 물리면 이 마을 저 소식 얘기꽃 피우던 그 가슴들! 어른 생신에는 온 동리 노인들 방안 가득 아침상 같이 받고, 보리개떡이라도 찔라치면 별미라고 울타리 건네 주던 따스한 이웃들!

들에 가을빛 출렁이고 산빛 단풍 끝에 물들어 오면, 사람이 그리워진다. 벗이 그리워진다.

산신각 뒷켠에 묻어 둔 머루주, 열지 못한 지 꽤 오래되었다. 그리운 벗 찾아오면 뒷뜰 솔가지 달빛 한 올 걸어 놓고, 풍경 소리 안주삼아 밤새껏 취해 보려 하였으나…….

우리 모두 스님 같은 생각으로 살자는 이야기는 아니다. 배고팠던 보릿고개로 다시 돌아가자는 얘기는 더욱 아니고. 물질문명의 등불 따라 너무 멀리 와 버린 우리들, 속히 제자리로 돌아가자는 얘기다.

물질의 풍요가 행복만을 가져다주지 않는다는 사실을 경험했으니, 어른은 어른 자리로, 스승은 스승 자리로, 엄마 아빠 모두 제자리로 돌아가야 하지 않겠는가? 그리 될 때 제자가 스승 머릴 깎이고 자식 놈이 부모를 치는 아픔은 없어지겠지.

아파트 이웃방 할머니! 죽은 지 한 달 만에 썩는 냄새로 발견할 수 있었던 사회도 사라질 것이고…….

마지막 꿈의 나라 인니(印尼)

　무질서 속에 질서가 숨을 쉬고 질서 속에 무질서가 통하는 알듯 모를 듯한, 나라 인도네시아[印尼].
　버스 값 300원인데 200원을 내도 좋고, 500원 내도 거스름돈 내주지 않는 나라. 돈 없으면 당당히 손 내밀어 구걸하고, 주는 사람 역시 무주상 보시하는 무심의 민족! 백 마리의 고기를 낚을 수 있건만, 가족이 다섯뿐이라고 다섯 마리만 잡고 나머진 거들떠보지도 않는 여유? 게으름? 알 수 없는 무계산의 민족이다. 집 한 칸 없어도 고대광실 부러워하지 않고, 땅 한 뙈기 없어도 먹을 것 걱정 않는, 배고프면 바나나, 목마르면 야자열매, 추우면 야자잎 하나로 만족하는 욕심 없이 살아 가는 착하디 착한 천혜의 나라!
　그렇게 익혀온 숙업인가, 아니면 삼백오십여 년 외국 나라 화란의 지배하에 배어 버린 체념과 예속의 근성인가? 발전을 외면한 듯 살아 가는 모습이 우리나라 1950~1960년대의 모습과 비슷하다. 어느 것이 참다운 삶의 모습일까? 마을의 길흉사에 두레치고 홍돋우며 구운 감자, 삶은 옥수수, 울타리 넘나들며 정(情)을 나누는 인도네시아! 이곳이 한국인가? 한국이 이곳인가?

너와 나를 가리지 않고 모두 다 감싸안는 발리의 푸른 해변. 잠겨드는 나신(裸身)마다 꿈을 주는 자바의 해신(海神)이 숨쉬는 곳, 인도네시아! 언어는 250여 종 섬은 만여 개, 인구는 2억에 가까우며 그중 80%가 모슬렘.

새벽 아침 점심 오후 저녁 다섯 번의 기도 소리, 같은 시간 모두 다 손을 놓고 함께 우는 나라! 떠 가는 구름조차 쉬어 우는 모슬렘의 기도 소리 하늘 덮는데…….

인니의 혼을 움켜쥐고 땅속에서 숨을 쉬던 세계의 불가사의 불교 사원 보로부들! 7대 불가사의 중 하나가 화산재에 묻혀 있다가 유네스코에 의해 발굴되어 그 웅자 드러내고 숨결 고르는 불가사의 보로부들, 크게 숨쉬는 날, 우담바라 꽃비 오고 가룽빙가 범음 속에 너 인니, 깨어나리라.

사리(舍利)

　어느 TV에 농학도가 벼나무라는 표현을 쓰는 바람에 웃은 일이
있었는데, 어떤 의학자가 스님 몸에서 나오는 「사리」를 담석증의 일
종이라 하여 경악을 금치 못한 일이 있다.
　녹두알만한 돌이 몸에 생겨도 고통스러워 수술을 해야 할 판인데,
엄지손가락만한 구슬들이 수십 개 내지 수백 개가 몸 속에 들어 있어
도, 수술은커녕 건강하게 살다 가시는 스님들의 삶에 대해 귀동냥도
못한 무지한 의사에게 무슨 말을 할까마는……사리에 대한 얘기가
분분하여 몇 자 적고 싶어진다.
　사리의 생성 과정을 진주에 비유하기도 하는데, 조개살에 모래가
박히면 고통스러워 그 이물질을 밀어 내려고 온 힘을 다하지만 더욱
깊숙히 박히고, 그것을 밀어 내려는 정기는 굳고 굳어 영롱한 진주가
되듯 사리 또한 그렇다 하나, 어찌 조개의 진주와 수행자의 사리를
비교하겠는가!
　여기 사리 수습의 과정을 소개하여 사리를 설명해 보고자 한다. 절
집에서 화장을 다비라 하는데, 먼저 다비할 곳에 석 자 석 치의 작은
구덩이를 판 다음 그곳에 옹기나 자기단지를 넣고, 맑은 정한수를 채

운 다음, 창호지나 삼베로 세 번쯤 풀을 먹여 단지를 봉하고, 그 위에
단단한 청석을 두세 겹 올려 놓고 흙을 덮는다. 그 다음 위에 소금과
숯을 두껍게 깔고 또 흙을 덮어 꼭꼭 다진 다음, 장작과 차나무로 단
을 쌓고 시신을 올린다. 차나무를 사용함은 살 타는 냄새를 흡수하기
위해서이다. 다비식이 끝나면 시신은 수천 도의 열에 한 줌 먼지되어
사라지지만, 스님네가 닦으셨던 수행정기는 흙을 지나 숯과 소금, 청
석과 삼베를 뚫고 단지 속 한가운데 신령스런 영골되어 사리로 방광
하니 이 신비, 아니 지고지순한 이 수행의 결정체를 어찌 담석과 진
주로 설명하랴!

　서양의 어느 과학자는 또 이렇게도 설명한다. 신령한 수행의 정기
는 양기를 띠니, 가장 가까운 음기인 물을 찾아 들어가 신비한 결정
체를 이룬다고.

　분석적인 그들 사고가 조화로운 동양의 불가사의를 얼마나 잘 설
명해 낸 말인지는 알 수 없으나, 분명한 것은 담석의 돌멩이도 타다
남은 뼈조각도 아닌 불가사의하고 신령스런 영골임에는 두말할 나위
없는 것이니, 많은 스님네들이 그 수행공덕의 자취로 사리를 남겼음
을 일러두고, 또 한 가지 그 사리보다 더 귀중하고 보배로운 사리가,
살아 숨쉬는「인간사리」임을 밝혀 두고 싶다.

　많은 후학들을 길러 내고, 배움과 깨달음의 길을 열어 주시느라 몸
속의 사리마저 올올이 태워 버린, 더 큰 스님네의 보시공덕을 상기시
키고픈 마음이다.

4

등신불(等身佛)

등신불(等身佛)이 뭐냐 물으면 불자이든 비불자(非佛者)이든 잘 모른다고 하거나, 타다 남은 사람 몸뚱이 아니냐고 되묻는다. 어디서 들은 이야기냐 물으면 〈TV 문학관〉에서 봤다는 얘기다.

불교사전에조차 설명되어 있지 않은 등신불을 자세히 알 수 없는 것은 당연한 이치리라.

정신을 딴곳에 팔고 있거나 생각없이 멍한 사람을 「등신」이라 욕한다. 몸은 있는데 정신이 빠져 나간 사람을 일컫는 말이지만, 불교 용어에서 유래된 단어임에 틀림이 없다.

잘 지킨 계율의 힘과 잘 닦은 선정의 힘, 조화롭게 성숙한 지혜의 힘! 바로 계(戒)·정(定)·혜(慧), 삼학(三學)의 수행력이 몸과 혼을 자유자재로 분리시킬 수 있는 힘이 되어, 그 힘으로 몸은 놔두고 혼이 빠져 나간 몸뚱이가 바로 「등신」이며, 그 등신을 부처님과 같이 금을 입혀 장엄하게 처리한 것을 「등신불」이라 일컫는다.

등신불이 될 수 있음은 육과 영을 자유자재로 분리할 수 있는 「유체이탈」의 큰 공부가 있지 않고는 불가능한 것이니, 몇 가지 예를 들어 보면 아래와 같다.

동양의 인물화를 그린다는 사람치고, 달마 대사의 쭈그러진 상을 한 번쯤 그려 보지 않은 사람이 없을 것이다. 죄송하지만 정말 마음 대로 빚어 생긴 모습이다.

　그러나 사실 달마 스님의 본래 모습은 전혀 그렇지가 않았다고 한다. 인도 향지국의 셋째 왕자로, 그 용모 준수하기가 중국의 반안을 뺨칠 정도였으며, 학덕과 품위가 누구나 한 번 뵈면 우러러 받들지 않을 수 없었다고 전해진다.

　스승 반야다라의 유시를 따라 중국으로 건너오게 되는데, 처음 닿은 곳이 큰 대망이 썩어 온 마을이 냄새투성인 곳이었다. 달마 대사는 자신의 몸뚱이를 벗어 놓고, 대망의 몸 속으로 들어가 바다에 던져 넣고 다시 와 보니 벗어 논 몸뚱이가 사라져 버렸다. 알고 보니 인근 산에 사는 산령이 몸을 취해간 고로, 자비로운 마음에 주어 버리고 근처에 버려진 반쯤 썩어 가는 송장 속으로 대사의 영혼이 들어가니, 그때부터 달마 대사의 모습은 반은 썩어 뒤틀린 얼굴을 갖게 된 것이다.

　마음대로 영육(靈肉)을 분리할 수 있는 힘이 스님들에게는 있기에 몸을 매미껍질 벗듯 벗어 던질 수 있으며, 도력을 지닌 스님이 등신불이 되는 것은 그리 어려운 일이 아닌 것이다.

　세계에는 삼대 등신불이 있으니 태국 몽골 사원의 밀랍 등신불이 계시며, 대만 자항사에 자항 등신불, 중공 구화산에 지장 등신불이 계신다.

　태국의 등신불은 스님이 돌아가시는 연월일시를 예언하셔 바로 그 시간에 입적하시므로, 준비하고 있던 의료진이 밀랍 처리하여 법당에 모셔져 계신데 그 모습이 산사람과 조금도 틀리지 않다.

　자항사 등신불은 유언대로 돌아가신 지 오 년만에 관을 열어 보니, 가부좌한 그대로 터럭 하나 상하지 않고 미이라가 되었으니, 그 위에다 금을 입혀 등신불로 모셔, 수행의 증표가 되고 있다. 중공 땅 구화산의 등신불은 신라의 김교각 스님이 중국으로 건너가 지장기도를 지극 정성으로 올리어 도를 이루시니, 그 교화의 덕이 중국 땅을 덮었다 한다. 입적하시며 남기신 유언대로 칠십 년만에 개관하니, 머리·눈썹·발톱·손톱이 몇 자나 길어 있고 산사람과 똑같아서 세인들이 더욱 경배케 되었으며 역시 개금하여 탑 속에 모시니, 지금도 참배객은 줄을 잇고 있다 한다. 돌아가신 칠 월 삼십 일은 지장 스님의 열반일로 불자들이 구름같이 모인다니, 어찌 생사가 둘이며 예와 지금이 둘이겠는가! 칠팔십 년의 제한된 시간으로 영겁을 보려 하니 생사가 있고 예와 지금이 있는 것이지, 무량겁이 일념이요 일념이 무량겁인 경지에서야 나고 죽음이 둘이 되겠는가!

등신불! 수행의 증표며 공덕의 결과요 부처님의 가피와 위신력의 표상이니, 이 땅에도 많은 등신불이 모셔져 그늘진 구석구석 광명의 빛이 되었으면 하는 마음으로 글을 맺는다.

소신공양

온몸 홀홀이 태워 부처님께 바치는 최고의 공양! 일러 소신공양(燒身供養). 살점 사이 사이 기름이 끓고 뼈 마디 마디 골수가 타는……. 번뇌 망상이 타고 애증이 타고, 탄다는 생각마저 올올이 타, 아름답게 부서져 사라지는 공양! 누구든 올릴 수 있는 공양이나, 아무나 할 수 없는 공양이다.

하동 ○○사(寺) 모(某) 스님! 소신공양을 결심했다네. 공부도 수행도 뒷전이고, 막행막식 몹쓸 짓은 골라서 하던 망나니였기에, 몸에 몹쓸 병까지 옮아 살이 썩어 갔다지. 이래 죽으나 저래 죽으나 마찬가지니 남들 보기 그럴듯하게 소신공양을 결심했다네. 석유 한 말, 새끼줄 한 타래, 철사줄 열댓 발, 성냥 한 갑을 사들고 들어오는 마음 두렵고 착잡했지만…….

말리기는커녕 콧방귀도 안 뀌는 도반들의 반응이 약올라 실행을 결심했다네. 절 뒷산 소나무 아래 부처님같이 가부좌하고 앉아, 석유를 온몸에 부운 다음 기름칠한 새끼줄을 둘둘 말아 몸을 동이고, 철사줄로 꼼짝 못하게 허리와 목을 잡아 매고 두 손까지 얽은 다음, 성냥을 그었다지. 타오르는 불길 속에 업이 녹아 내려야 했건만, 아—

뜨거! 아 뜨거워! 나를 살려줘 나 좀 풀어줘! 산을 울리는 비명에 스님들이 뛰어올라 갔으나, 이미 온몸에 불이 붙었고, 살 타는 냄새와 뜨겁다는 절규가 온 산을 덮었다지. 남겨 놓은 고무신 한 켤레와 주민등록증, 그리고 유언장을 경찰들이 거둬 가니 절집에 정말 초상이 났지. 큰스님 주석하는 곳이기에 말들은 살을 달고 꼬리 달아, 금세 서울 부산 방방곡곡으로 풀풀이 날렸고.

문제는 여기서 끝난 것이 아니었으니, 밤이면 소나무가 소리를 질러대는데, 아 - 뜨거워 아 뜨거워! 큰스님 날 좀 살려 주오! 죽으면 끝나는 줄 알았는데, 뜨거워 못살겠우! 나 좀 제도해 주오! 제발 좀 살려 주오! 소나무에 붙은 스님의 업신은 해가 지면 울어대니 참으로 기막힌 일이었다지.

그러나 일은 더욱더 번져 갔으니, 절에 요양온 약간 실성한 여인이 소나무에 접근하였다가 스님의 혼이 빙의되고 말았다지. 그래서 소나무 대신 뜨겁다고 소리지르며 돌아다니는 여인을 어쩔 수가 없었으니, 큰스님 심사가 말씀이 아니었다지.

몸뚱이[身]는 육신(肉身)과 업신(業身)과 법신(法身)으로 나뉘는데, 육신이 명을 다하면 밝고 맑게 큰 마음으로 집착없이 산 사람들은 바로 우주의 빛과 하나되어 법신화(法身化)하지만, 애착과 회한·원한과 증오 등 밝지 못하고 부자유한 집착 속에 산 사람들이나, 또 억울하게 죽었거나 자살 참사한 영혼들은 그 마음들이 얽혀 업이 되고 업신(業身), 바로 중음신이 되어 약하고 허하며 어둡고 답답한 곳에 빙의되므로 문제들을 일으키게…… 즉, 타서 죽은 스님이 「아! 뜨거 귀신(중음)」되어 허한 여인의 몸에 빙의되고 만 거였다지.

진정 소신공양이란 갈고 닦은 수행의 힘에 의해,「유체이탈」의 경지에 이르러야 가능한 것으로, 뼈 한 마디 탈 때마다 연화가 피고, 살 한 올 녹을 적마다 수행의 향기가 온 법계에 일어, 가릉빙가 범음 내리고 우담바라 꽃비 오는 경계가 되어야 참다운 공양이요, 최고의 소신공양이 되는 것을! 몸에다 불만 붙이면 되는 것으로 알았으니…

···.

큰스님 정성들여 사십구제를 지냈으나 「아! 뜨거 귀신의 여인」은
여전하였으니 큰스님 체면이 말이 아니었다지. 정신을 가다듬고 「백
일 지장기도」를 지심으로 올리고 또 올리어, 결국은 「아! 뜨거 귀
신」을 천도하게 되었다지. 백일지장기도 회향일에 여인의 입을 통해,
타 죽은 스님은 영혼 참회의 말을 하였다지.

「큰스님 고맙습니다. 이제 모든 죄를 뉘우치고 애착과 회한·사랑
과 미움 모두 놓고 미련없이 이승을 떠나 오니, 다음생 인연 있어 이
땅에 다시 오게 되면, 제대로 출가하고 훌륭히 공부하여 올바른 소신
공양하오리다. 맹세코 올바른 소신공양하오리다. 만수무강하옵소서!」

아직도 하동 경찰서에 고무신 한 켤레, 유서 한 장이 주인 없이 보
관되어 있음을 아는 사람은 다 아는 사실이다. 소신공양의 원을 세운
이 승려에게는 참으로 큰 경책이 되는 사건이며 다져 보고 또 다져
보는 계기가 되었다.

네 절 아이들이나 잘 돌보아라

　　민족과 나라의 장래가 청소년에게 달려 있듯, 불교의 미래도 청소년과 어린 불자에 달려 있음은 다 아는 사실이리라. 십여 년 전만 해도 어린이 법회를 보는 곳이, 대구·경북 일원에 몇 개 되지 않았다. 시골절에는 아예 어린이나 젊은 사람이 가지 않는 것으로 되어 있었다.

　　어린이 법회가 내 절에서만 이루어진다는 것이 안타까워 도심 쪽 가까운 몇 사찰을 찾아 다니며 어린이 법회를 권했다. 그러나 애들 끌면 시끄러워 기도 못 한다는 곳, 가르칠 선생이 안 계셔 안 된다는 곳, 당신 절 아이들이나 잘 돌보라는 곳 등등……. 그러나 다행인 것은 어린이 포교에 관심들이 있었고, 불교의 포교 부재, 특히 청소년 포교가 미흡함을 다들 공감하고 있었다는 점이다.

　　돌아다닌 수확이 있어서 태고종 사찰 두 군데, 조계종 법화종 사찰 한 군데씩 네 곳에 어린이와 청소년 법회를 개설할 수 있도록 허락을 받았다(아이들 가르치는 지도교사와 법사 문제는 내가 책임진다는 조건 하).

　　그러나 지도교사 확보와 법사 문제를 해결하고자 여러 곳을 찾아

다녔지만, 「불교 어린이 청소년」을 위한 단체 자체가 없었고 청소년 교화연합회란 곳이 한 군데 있었으나, 그곳 역시 종단 차원의 운영이 아닌 한 사람의 신심으로 이름을 유지하는 곳이고 보니, 아무런 지원도 받을 수가 없었다.

작은 가슴이었지만, 참으로 불교 장래가 걱정스러웠고 안타까웠다. 불교 신도가 가장 많고 신심 또한 타도에 비해 열열하다는 경북 일원이 이러하니, 다른 곳은 안 봐도 뻔한 일이었다.

그러나 자료라도 얻어 볼까 하고, 법회를 보고 있는 서울·부산 쪽으로 연결을 해 보았지만, 조직적이고 체계적이기엔 시기상조이며 자료 또한 부재라는 연락들이었다. 궁여지책으로 어린이 「지도교사 연수회」란 모임을 만들어 서로 돕고 연구하며 앞에서 말한 절들에 청소년 법회를 개설하기 시작했다.

지금은 어린이나 중고등 학생 법회가 참으로 많이 늘어나 있지만, 종단 차원의 지원이나 조직적이고 체계적인 운영이 아직도 이루어지고 있지 못하다는 점이다. 십여 년 전이나 지금이나 내용적으로는 괄목할 만한 진전이 없으니…….

많은 곳에서 뜻 있는 스님이나 신도들이 불교 청소년 교화를 위해 헌신하고 있지만, 이 상태라면 몇 십 년 뒤에도 같은 얘기를 할까 걱정이 된다.

어린이, 청소년 교화만이라도 초종파적인 운동이나 기구를 만들어 지원과 육성을 할 수 있었으면…….

성숙은 아픔의 동굴을 지나서

이 글들을 써 가는 동안에 지명이나 이름을 가급적 밝히고 싶지 않다. 어줍잖은 글로 인해 혹여 마음 상하는 이가 있을까 우려되어서이다.

이 나이까지 살다 보니 무심히 지껄인 말들이, 전혀 알지도 못하는 이의 가슴에 못이 되는 경우를 많이도 보아 왔기 때문이다.

십수 년이 지난 이야기요 어줍잖은 얘기지만, 나와 같은 방법으로 포교당을 개설하고자 하는 뒷사람들에게 들려 주고 싶어 필을 든다.

내 기거하던 절이 작은 면(面)의 촌락 마을이었기에, 시내의 늦은 법회를 보는 날은 차가 떨어져, 백여 리가 넘는 길을 걸어 가기 일쑤였다.

아이들 뒤치닥거리에 정신을 쓰다 보니 돈을 내는 신도들은 다 떨어지고 없었으므로, 택시타는 것은 꿈에도 생각할 수 없었고 항상 버스비마저도 달랑거렸다. 겨울 땔감이 없어 방에 불을 넣지 못하고 살 때였으나, 신심(信心)은 오히려 뜨거웠던 때였으니 따스하고 행복했던 시절이기도 했다.

지나고 나니, 빙긋이 미소하며 회상할 수 있는 추억이 되었지만, 그 시기엔 가슴 아픈 일들을 많이도 겪어야 했다.

이교도들에게 마귀나 간첩으로 몰리는 건 애교였고, 조계종 승려였지만 종파를 가리지 않고 이 절 저 절 어린이 법회를 개설하고 다니다 보니 가짜·사이비·종파 염탐꾼 등등 글로 표현할 수 없는 많은 욕을 먹었던 때이기도 하다.

욕을 많이 먹어서 그런지 밥을 한 끼씩만 먹고 다녔는데도 내 배는 항상 볼록했다.

촌락과 시(市) 중간쯤에 포교당을 하나 만들었으면 생각하였으나, 무일푼인 주제에 무슨 도리가 있었겠는가.

그러나 뜻이 있으면 길이 있고 원이 있으면 반드시 이루어진다는 성현의 말씀만 믿고 다니다 보니, 군(郡)에 새로 짓는 참한 건물이 눈에 띄었다. 관리자를 찾아 세를 물었더니, 이 승려에겐 꿈 같은 숫자였다.

사정해 보는 거야 돈 드는 것 아니니, 주인을 잡고 통사정을 해보았다.

「목돈은 못 내고 매달 전세금에 대한 이자를 낼 것이며, 잘되면 빠른 시일 안에 전세금을 다 지불하겠다」고.

뜻은 이해하지만 안 된다는 정중한 거절이었다(남에게 아쉬운 소리 한 번 제대로 못하는 주제에, 그런 어린애 같은 용기가 어디서 나왔던지).

큰일을 하려면 조상님들 음덕과, 부처님 가피를 입어야 한다는 말씀대로, 사십구 일 지장기도를 올렸다.

진정, 성현의 말씀은 한 마디도 헛됨이 없었다. 기도회향 며칠 뒤에 일인데, 알고 보니 건물의 진짜 주인은 나와 함께 아이들을 가르치는 지도교사의 아버님이셨다.

찾아뵙고 막무가내 떼를 쓸 수밖에, 불교신자였던 그분은 두 손 들었다며, 전세금 대신 이자만 내고 쓸 수 있도록 해주셨다. 오십여 평 되는 법당에 꿈에 뵌 지장보살 천 분을 모시게 되었고 내가 기거할 작은 방도 만들고, 화장실을 개조하여 부엌으로 만드니 그럴듯한 인법당(人法堂)이 되었다.

포교당 이름을 「공덕원」이라 명명하니 이런 식의 포교당은 공덕원이 처음이었을 것이다. 어린이를 비롯한 중고등부 청년 법회와 지도교사 육성 모임 등을 개설하여, 매주 큰스님들 모셔다 법문 듣고 교수님들 모셔다 불교사상 강연회를 열고, 거의 매일 이어지는 법회는 항상 법당이 비좁아 야단법석이 되었다.

「도고(道高) 마성(魔盛)이라.」 좋은 일이 있으면 어려운 일이 끼기 마련! 군 내의 모든 사찰에 비상이 걸렸다(신도 관리면에서, 타사찰 스님네들 가슴이 타게 되었으니). 공덕원으로 법문 들으러 모여 드는 신도들을 막을 길이 없었던 것이다. 신도들을 빼앗겨선 안 된다는 생각들이 중상모략으로 이어졌고 나중엔 기관에 연이은 투서를 하니, 죄 없는 이 승려는 골치 아픈 인물로 점 찍히고 만다.

더욱 모든 언행을 법다이 하고자 노력했으나…….

기관인가 어디엔가에서 사회적으로 물의의 요인이 되니, 고사(枯死)시키라는 명령이 떨어졌단다(나중에 안 사실이지만).

그러나 어려웠을 때마다 도와주는 사람이 꼭 나타났으니, 이교도의 모략에 간첩으로 몰리어 조사받던 때 나를 담당했던 S 형사!

그의 관할이었기에, 만약 무슨 일이 생기면 자신이 책임지겠다는 각서를 상관에게 써놓고, 이 승려의 고사를 막아 주었다. 자신의 생명줄을 걸고 한 포교승의 길을 터 놓은 젊은 형사! 나를 끝까지 보호했다는 사실도, 뒷날 다른 형사에게 들어 알게 되었다.

마음 아파하는 나에게 S 형사 이렇게 위로했다.

「스님! 스님 덕분에 이곳 농땡이 스님들 정신차리게 되었습니다. H 절 스님을 만났는데 〈요즘 곡차 안 하십니까?〉 했더니 〈그놈의 용산인가 앞산인가 때문에, 신도 단련하느라 곡차할 형편이 못 된다〉고 투덜거렸습니다. 스님의 하시는 일이 지금은 이해되지 않더라도, 언젠가는 다함께 고마움을 느낄 때가 있을 겁니다. 너무 외로워 마십시오.」

　내 간절한 포교의 원을 내가 만든 석고지장이 해결해 주는 인연이 될 줄이야! 모셔진 천 분 지장보살님들은 비록 생명 없는 석고지장 이었지만, 이 승려가 전법포교를 하며 불교대중화 운동을 전개하는 데 실질적 위호를 나타내니, 내가 조성한 석고지장이 나를 살리는 깊고도 묘한 신앙의 이치를 배우게 되고 더욱 깊이 믿어 의심치 않게 되었다. 지장신앙에 대한 확고한 믿음은 불써되어, 포교당이 북구에 도 세워지고, 이어 남구에, 남구에 이어 서구에, 동구에 중구에 계속 개설되고, 부산·대구·인도네시아까지 지장신앙을 전파하는 힘이 되었다. 군(郡)에 포교당을 개설할 때 겪었던 몇 배의 아픔을 시(市)에서도 겪었고, 더 크고 넓어질수록 겪어야 했던 시련과 고충은 비례하여 컸으니······.

　성숙은 어려운 고통의 동굴을 지나지 않고서는 열매 맺기 어렵다는 사실을 다시 한번 되새겨 보며, 건강과 명이 허락되는 날까지 법을 전하다, 인연 닿으면 부처님전에 이몸 홀홀이 태워 소신공양하리라는 원도 다짐해 본다. 어려움과 외로움으로 스승 삼으라는 선현의 가르침에 머리 조아리며 글을 맺는다.

제　사

제사 지내는 날이 돌아오기를 많이도 기다렸던 어린시절이 있었다. 제삿날은 명절과 같이 좋게만 느껴지는 날이었다. 평소에 먹기 힘든 과일이며 고기국에 쌀밥을 배불리 먹을 수 있었고, 보고픈 얼굴들이 꼭 돌아와 주는 날이기도 하였기 때문이다.

승려가 된 지금에도 어른 스님의 제일(祭日)이 기다려지니, 웃스님 제삿날이 되면 멀리 흩어져 있던 사형 사제가 모여 들고, 쥐죽은 듯 고요하던 산사가 시끌 벅적 깨어나는 날이 된다. 돌아가신 어른의 다정하셨던 모습과 그분의 가르침을 되새겨도 보고 덕을 추모하며, 젯상 앞에 머리 조아리는 마음들은 다같이 하나가 된다.

제사 지내고 음식을 나눠 먹으며 밤 새워 나누는 이야기들은 표현할 수 없는 기쁨 중의 기쁨이 된다.

제삿날을 기다리는 사람이라 그러한 지 조상 제사를 마다 하는 이들을 이해할 수가 없다. 오랜만에 만나게 되는 기쁨들은 제쳐 놓고서라도, 조상 없는 자손이 있을 리 없고, 부모 없는 자식이 존재할 리 없건만……. 하찮은 동물인 개와 고양이도 족보를 찾고 조상을 찾아 자신들의 뿌리를 단단히 하는데, 하물며 만물의 영장이란 사람이 자손의 도리인 제사를 거부함은 아무래도 이해하기가 어렵다.

서양 사고의 잘못된 부분에 물들여진 사람들에게 용악이란 스님의 얘기를 들려 주고 싶다.

용악 스님은 조선조 순조 때 사람으로 함경남도 안변에 있는 석왕사에 머물렀다가 양산 통도사에서 생을 마쳤고, 처음으로 해인사 대장경을 종이에 찍어 책으로 엮은 분으로 기록되어 있다.

스님이 석왕사에 계실 때 일인데, 「이월 스물여드레 밤」이 되면 어김없이 꿈을 꾸게 되고 그때마다 어디론가 가서, 차 석 잔과 음식을 대접받고 오게 되는데 매년 되풀이되니 이상한 일이 아닐 수 없었다. 그리고 그 집이 여염집이 아닌 수암사라는 현판이 붙은 절집임을 알게 되었다.

그러나 어느 도에 위치해 있는지를 알 수 없어 항시 수암사의 일이 머리를 떠나지 않고 있던 중, 어느 날 수암사에서 왔다는 객승을 맞이 하게 되고, 바로 꿈속에 찾아가는 수암사의 스님임을 확인하게 된다. 그리고 그 궁금한 「이월 스물여드레」가 수암사를 크게 중창한 중창주 스님의 제일임도 알게 된다.

제사는 밤 제사를 지내며, 스님이 살아 생전 차를 좋아하셔서 제사를 지낸 후 차 석 잔을 다려 올린다는 사실도 듣게 된다. 용악 스님은 자신이 전생에 수암사 중창주였음을 알게 되었고 수암사 객승에게 자초지종을 얘기하기에 이른다. 그리고 수암사 중창주의 소원이 해인사 팔만대장경을 영인본으로 엮어 내는 것이었으나 소원을 이루지 못하고 돌아가셨다는 얘기도 듣게 되는데, 바로 자신이 갖고 있던 평소 생각이요 추진하고 있는 일이었으니, 더 말할 것 없이 객승과 함께 경기도 시흥군 수암리에 있다는 수암사에 들리어 자신의 영전에 제 올리고 발원을 한다. 결국 소원을 이루게 되어 대장경 목판본을 영인본으로 만들어 통도사와 법주사 등 네 곳에 모시게 되었다.

용악 스님의 경우와 같이 꿈속에서 공양을 받으러 가지는 못하더라도 자손들이 올려 주는 제사는 영가의 정신에, 혼에 좋은 영향을 주어(어떤 곳에 화생하였더라도) 거룩한 복이 되고 덕이 됨을 우리는 믿고 있다.

전생에 못한 일을 금생에 다시 와서 하고 가신 스님의 행적을, 제사를 거부하는 사람들이(평면적이고 분석적인 서양 사고에 물든 사람들이) 이해할 수 있을까?

제사! 그것은 미풍양속의 의미를 넘어 뿌리를 찾는 몸짓이요, 나아가 (몸을 가진 영혼이나) 몸을 버린 영혼 모두를 살찌우는 거룩한 행위요, 세상을 맑게 하는 일이 됨을 요즘 사람들이 알 수 있었으면 한다.

부 처 님

우리는 부처님을 「무소불능」의 절대적인 존재로 알고 그의 가피력을 입고자 빌고 또 빈다. 돈벌게 해달라, 건강하게 해달라, 시험되게 해달라 등등…….

분명 부처님께선 깨달으신 분이기에 중생들의 귀의처가 되고 신앙의 대상이 될 수 있는 복덕과 지혜를 구족하신 분임에는 틀림이 없다. 우리가 그분의 가피력과 공덕을 입고자 기원하는 것은 잘못된 일은 아니다. 그러나 그분이 역사의 현실 속에 살다 가신 의미를 알지 못하고서는 그분 가까이 접근될 수도 없고, 가피 또한 입기 어려운 것임을 알아야 한다.

그분이 우리와 같은 모습으로 이땅에 오셔서, 우리와 똑같이 생로병사의 모습을 보이셨고, 그 과정에서 겪는 아픔과 슬픔 고뇌와 갈등을 어떻게 승화시키고 다스려야 하는지를 여법히 보여 주셨다. 이것은 곧 중생들의 아픈 고뇌를 다스려 주시기 위함이 아니겠는가?

그분의 무소불능한 위신력에 의지하여 믿음을 키우기도 해야겠지만, 그분의 인간적인 부분을 조명하여 배워 감이, 두 다리로 굳건히 설 수 있는 힘이 될 것이다.

칠 일만에 어머니를 잃어야 했던 불행과 삶의 무상을 느껴 출가를 결심하고도, 잠든 아내와 자식을 바라보며 갈등했던 인간적인 면모에, 연민의 정을 보내지 않을 수 없다.

설산에서의 육 년 고행에 저절로 머리가 숙여지며, 보리수 아래 큰 깨달음을 얻으시고도 의지할 스승님이 없는 외로움은 죽음보다 힘들다 하셨던 그 가슴을 사랑하지 않을 수 없다.

많은 이교도들을 귀의케 하고 고향에 돌아와 토라진 아내의 등을 다독이며, 자신과 만났던 전생 이야기를 들려 주시던 그 다정함!

눈 먼 제자의 바늘귀를 꿰어 주며, 그 공덕을 다른 사람들에게 회향한다고 가르치시던 그 따스함!

믿고 의지했던 제자들의 죽음에 뜨거운 눈물을 지우시던……

정성들여 가르친 제자이며 사촌동생이기도 한 「제파달다」가 몇 번이고 당신을 죽이려 했던 아픔도 끝까지 감내하며 용서하셨던 그 넓은 가슴!

이 길을 가며 외로울 때, 괴로울 때 힘들 때마다 그분의 따스한 손과 자상한 가슴을 생각하며 자신을 다스려 왔다. 제자들에게 머리를 깎이우고 두들겨 맞는 아픔보다 더한 고통을 참아 낼 수 있었던 것도, 자식이 부모를 찌르는 고통보다 더한 아픔을 견뎌 낼 수 있었음도, 이 고을 저 나라 돌아다니며 저자거리의 포교승으로 아직 남아 있을 수 있는 것도, 그분의 「외로움과 고통, 아픔과 갈등, 용기와 지혜, 그리고 크나큰 자비」를 배우려 함이 지속되었기 때문이리라.

그분의 넓은 가슴을 믿듯 그분의 위신력을 믿게 됐고, 그분의 외로움을 이해하듯 그분의 청정함도 믿게 되며, 그분의 지혜와 자비에 의지하듯 그분의 가피력에 의지하게 됨은 어쩔 수 없는 자연스러움이 되리라!

그분께 귀의한다.

그분의 가르침에 귀의하며

그분의 제자들께 지심으로 귀의한다.

까 치 밥

인도네시아에 포교당을 개설하고 보니 한 달에 한 번은 비행기를 타게 된다. 그때마다 옆자리에 동승한 사람과 이야기를 나누게 되는데 여덟 시간의 긴 여정이라 그런지, 타국을 향해 가는 마음 때문인지, 승(僧)과 속(俗)의 분별없이 쉽게 친해지곤 한다.

그런데 비행기 속의 인연이라서인지 만나는 사람마다 세상이 좁다고 뛰는 바쁜 사람들이었고 일정이나 시간들이 꽉 짜여진, 그래서 죽을 여유조차도 없다는 사오십대의 사람들이었다. 죽을 여유도 없이 어찌 사느냐 했더니, 그러기 때문에 사오십대의 죽음이 가장 많단다. 다행스러운 것은 자신의 하는 일과 그 시간들을 사랑하고 있다는 점이었다. 참다운 휴식은 부지런히 일하는 가운데 있다 하였으니, 그들은 진정한 휴식과 여유를 아는 사람들일는지도 모른다.

그러나 지난번 인니행 비행기서 만났던 자칭 「세계의 보따리 장사」라는 H의 말을 들어 보면 부지런히 일한다는 것과 시간에 쫓기어 죽을 여유도 없다는 것은 좀 차이가 있는 것 같았다. H의 말인즉, 「팔자 때문인지 그놈의 역마살 때문인지 이 물건 저 나라에 저 물건이 나라에 팔고 다니다 보니, 집 비우는 일은 다반사이고 처자식과

일 년에 극장 구경 한 번 못 하는 형편이었고, 결국은 아내마저 외국으로 도망하고 말았다는…….」

부지런히 일하는 것도 따지고 보면 진정한 휴식과 참되고 평화로운 삶을 위해서인데, 가정이 파괴될 정도로 부지런히 일한대서야 어불성설이 아닌가?

명절에 떡해 먹을 쌀이 없어도 가야금으로 떡방아를 찧던 멋과, 나물 먹고 물 마시고도 맑은 하늘에 시조가락 띄우던, 조상님들의 느긋한 여유를 다 흉내 내지는 못하더라도, 아주 작은 마음의 여유 정도는 갖고 사는 삶이 더 의미 있지 않겠는가?

한 숨 섞인 그의 말을 들으면서, 이 승려도 이 나이 되면 산에 조용히 앉아 산을 지키는 어른스님 노릇을 해야할 판인데, 이 나라 저 나라 돌아다니며 아직도 부처가 만든 약을 팔고 있으니 팔자가 비슷하다는 우스개 말로 그에게 위로를 하였지만…….

참으로 부지런한 사람은 여유의 진정한 의미를 안다. 여유 있는 삶은 자신뿐만 아니라 이웃과 세상을 부드럽게 만들고 유덕하게 변화시켜 가기도 한다.

다 익은 감을 따면서도 까치나 까마귀 등, 날아다니는 날짐승들을 생각하여 두서너 개 정도는 나무에 달아 두었던 포근한 여유! 들판에 일을 하다, 새참을 먹으면서도 기어다니는 개미나 들쥐 등 미물들을 위하여 고수레로 던져 주던 음식들!

길가 초가지붕 처마 끝을 길게 늘어뜨려, 지나는 나그네들이 비를 피할 수 있게 하였던 옛 선인들의 도포자락 같은 여유! 선비들의 둥글고 넓은 갓 끝에도 스님네의 커다란 장삼폭에도 그 멋은 살아 있건만…….

오늘을 사는 우리들! 마음의 창을 열어 이 여유의 멋을 찾아야 하는 것이 아닐까?

주화입마(注禍入魔)

수행자들이 수행생활을 잘 하다가도 마(魔)가 끼면 고통을 겪게 되고 심한 경우는 폐인이 되며, 때론 환속을 하는 경우도 생기게 된다.

마는 밖으로부터 오는 외적인 장애의 마도 있으나, 안에서 일어나는 내적인 동요와 혼란이 주된 원이 되어 공부에 장애를 일으키는 것이다.

수행자들뿐만 아니라 세간살이에서도 좋은 일에는 마장이 끼게 됨을 우리는 잘 알고 있다. 알고 보면 이 마장이 인간 성숙의 시금석이요 계기가 되니, 마장 없는 성숙이 있을 수 없다는 점도 주지해야 할 일이다.

수 년 전 R이라는 도반과 토굴에 들어가 삼백 일 정진 기도를 한 적이 있다.

기도를 하는 과정에서 도반에게 마장이 온 것이다.

도반의 눈에, 내 전생(前生)이 비치고 내생(來生)이 보이며, 나뿐만 아니라 모든 사람의 과거와 미래를 환히 볼 수 있는 신통스런 마장이 온 것이다.

불가에선 공부 도중에 식(識)이 맑아져 나오는 신통경계(神通境界)도 하나의 넘어야 할 마장으로 취급하여, 그 경계(境界)를 뛰어넘을 수 있을 때 대도를 이룬다고 가르친다.

혹자들은 숙명통이나 천안통 등 삼명육통이 트이면 도인이 되고, 대도를 이룬 것으로 잘못 알고 있으나, 그런 신통은 수행과정에서 오는 넘어야 할 경계이고, 거기에 걸리거나 끄달리어 수행을 멈추면, 신통의 노예가 되어 대오(大悟)와는 거리가 먼 마구니가 될 수도 있는 것이다.

내 도반 역시 그 경계에 걸리고 만 경우이니…….

본인도 그것이 넘어야 할 마장이었음을 알고 있었으나, 하나 둘 인연닿아 찾아오는 사람들의 운명을 재미로 얘기해 주다 보니, 둘이 셋이 되고 셋이 넷이 되어 문전성시를 이루게 되었다.

나중에는 재미를 넘어 들어 오는 복채에 마음이 쏠리게 되었고, 도반들의 충고도 들리지 않게 되었다.

돈이 생기니 여자가 생기고, 결국은 옷을 벗고 환속을 하게 되었다.

지금은 대전에서 삼 남매의 아버지로 택시 운전을 하며 살아 가고 있으나 가끔 만나면, 그때 마장이 왔을 때 충고를 듣지 않았음을 후회하곤 한다.

환속할 당시는 철학관을 차리고 「사주관상 운명」을 감정해 주는 이름 있는 운명 감정가였으나, 맑았던 식이 속진에 찌들려 신통스런 경계가 사라지다 보니 스스로 철학관을 치우게 되었고, 운전을 하게 된 것이다.

수행에 화나 마가 끼는 주화입마의 한 예이지만, 수행자이던 속가인이던 삶에 끼여드는 마의 모습은 참으로 얼굴들이 다양하니, 면밀히 살펴야 할 것이다.

도 량

심신을 수련하는 곳을 도장(道場)이라고들 한다. 절〔寺〕역시 마음을 닦는 곳이기에 도장(道場)이라 써놓고 도량이라 부른다.

우리나라에는 어느 곳을 가든지 산자수려한 명당터에 아름다운 도량들이 자리하고 있다. 저 경남 합천군 가야산에는 (부처님의 사십구년 설법이 오롯이 담겨 있는) 법보 도량인 해인사가 자리하고, 더 남쪽으로 내려가 경남 양산군에 있는 불보도량 통도사가 신령스런 영축산에 안기어 있고, 전라도 쪽으로 올라오면 승주군 용광면에 조계산이 자리잡고 있는데 보조국사를 비롯, 열여섯 분의 국사를 배출한 승보도량인 송광사가 위용을 자랑하고 있다. 그리고 관세음보살의 가피가 영험스럽다는 관음도량인 낙산사가 양양에, 지장보살 음덕이 그득하다는 지장도량 용문사가 예천에 있다.

크고 이름난 도량도 그 수를 헤아릴 수 없지만, 금강산에는 팔만구암자가 있었다 하니 가히 이땅이 불국토였음을 의심할 바 없으리라. 머지 않은 장래에 이 나라가 세상의 주인공이 되리라는 것도 의심할 여지 또한 없음이리라.

앞에 열거한 사찰들이 크고 아름다우며 의미 있고 유서 깊은 도량들이지만 이보다 더 크고 깊고 그윽하며 넓고 아늑하며 고요하여, 인간들의 찬사로는 다 수식 못 할 신묘한 도량이 있으니 바로 심도장(心道場), 마음의 도량인 것이다.

사람들은 가슴마다에 아늑한 도량이 자리하고 있으니, 각자 잘 가꾸고 키운다면 세상은 그대로 「화장연화 세계」가 될 것이다. 그러기에 우리는 옛부터 도량이란 말을 인간을 깊이 이해하고 세상을 바로 보는 뜻으로 사용했으며, 마음이 넓고 큰 사람을 도량 있는 사람이라고 칭찬하고 존경하였던 것이다. 도량이 더욱더 큰 사람은 국량이 넓다 하여 나라를 다스릴 수 있는 사람으로 우대하기도 하였다.

그리고 이 심(心)도량의 크고 작음은 선천적인 것이 50% 후천적인 것이 50%라고 어느 학자가 말했는데, 나의 경우도 이 말에 공감을 하고 있다. 나 자신을 돌아보면 도량이 좁아 삐지기 일쑤였고 남을 이해하고 사랑하는 데 참으로 인색하였던 것 같다.

부끄러운 얘기지만 여인 하나도 제대로 사랑해 보지 못한 도량 좁은 인간이었으니……. 그러나 조상의 음덕이 있었던지 불법을 닦게 되다 보니 이제는 그 덕으로 추위 떠는 이웃이 전생 내부모 형제요, 산천초목 길가의 작은 풀꽃까지 나와 무관한 것이 없음을 믿게 되는 도량을 지니게 되었다.

이 승려를 보더라도 우리의 노력 여하에 따라, 얼마든지 도량 있는 사람으로 살다 갈 수 있음이 아닐까?

그 리 움

머루주, 다래주, 모과주, 석류주, 국화주 등등 술이 맛들어 가고 따
뜻한 방 구들이 익어 갔다.

솔가지에 달빛 걸리고 댓바람 한 자락 불어 올 때쯤, 도반들과 기
울이는 산사의 곡차 맛은 세인들이 상상할 수 없는 도솔천의 감로였
다. 그때의 벗이 그리워 곡차향이 그리워 찾아왔건만, 모두 떠나 버
린 빈 방엔 구들 식는 내음만이 그리움을 더한다.

입산 동기들 몇이서 아담한 토굴을 만들고 일 년에 한두 번씩 모여
공부를 점검하고 묵은 피로를 풀었던 문경 골짜기! 만나면 헤어지고
헤어지면 또 만나는 것이 사는 거라지만…….

방 두 개에 열 명의 장정들이 서로 아랫목을 차지하겠노라 나이와
생일 생시까지 들춰 내고 주민등록증까지 대조하며 법석을 떨었던
것이 엊그제 같은데, 절집의 작태가 못마땅하다고 떠난 친구, 사람냄
새가 싫다고 더 깊은 산속으로 숨어 버린 도반.

홀로 찾는 발길이 가볍지만은 않다. 몇몇은 다른 장소에서 가끔 만
나고 있으나 이곳에서 눈푸르게 수행을 다짐하던 모습들은 사라지
고, 중 늙은이의 권태로운 편안함과 토끼뿔 같은 명예와 권위에 쌓여

시들어 가는 모습이어서 그저 안타까울 뿐이다. 이곳을 혼자만이라도 지키고 싶음은, 나 또한 타성의 노예가 되어, 부모 형제 버리고 사랑하는 이들 가슴에 못 박고 떠난 죄업마저 잊고, 인도해 주신 스승과 힘이 되어 준 도반, 시봉해 준 많은 이들의 따뜻한 가슴을 혹여 잃어버릴까 두려워함이니…….

잃어버리고 놓아 버리는 것이 불가의 공부이지만 잃어버리고자 함은 진정 바르게 알고자 함이며 더욱 사랑하고자 함이요, 놓아 버리고 비우려 함은 올바로 세우고 소중히 담아 두려는데 그 깊은 뜻이 있음인 것을. 가르침의 깊은 뜻이나 그 은혜마저도 쉽게 버리고 잊어버리는 요새 공부인들!

솔내음 곡차향에 혼자 취해 보는 멋도 싫진 않으나, 십 년 묵은 머루주 곱게 따르어 공양올릴 스승이 그립고, 밤 새워 짝해 볼 친구가 그립다. 일 관문에 한 잔하고 이 관문을 쉬어 넘어 삼 관문에 시 한 수 읊조리던, 옛적의 도반이 그리워진다.

일곱 살 애인(愛人)

인도네시아에는 예쁜 애인이 둘이나 있다. 한 처녀는 소정이, 또한 처녀는 희경이, 열 살과 일곱 살짜리 꼬마 처녀들이지만 어찌나이쁘고 맹랑한지 내 인니행 발길을 가볍게 한다.

소정이는 위로 재민이란 육 학년짜리 오빠가 있고, 인니공덕원 거사림회 회장을 맡고 있는 사업하는 아빠, 인니공덕원 실질적 살림꾼인 엄마, 이렇게 네 식구가 단란하고 재미있게 살아간다.

소정인 또 말솜씨가 대단하고 영리하여, 인도네시아의 일등 포교사이기도 하다. 학교에 가서 학생이든 선생님이든 불교신자라면 전화번호를 알아다 제 엄마에게 주고 전화를 걸게 하는 없어서는 안 될열열한 전법사이다. 그리고 질투 또한 대단하여 스님 가까이 누구도접근할 수 없도록 은근히 영향력을 발휘하는 맹랑한 처녀.

희경이네와 매일 만날 정도로 가까운 사이고, 희경이·아빠·엄마도 공덕원 개원의 일등 공신들이며, 희경이 언니 하나도 여덟 살 예쁜 처녀이다.

그런데 일곱 살짜리 희경이가 어찌나 싹싹한지 스님의 등도 두들겨 주고 다리도 주물러 주며 옷 입으면 단추까지 채워 주는 애교 덩

어리라, 인니에 가면 희경이부터 찾게 된다.

그러나 언제부터인가 스님 주위를 맴돌 뿐 가까이하지도 않고 애교도 안 부리는 서먹한 사이가 되어 버렸다.

이유를 알고 보니 소정이의 보이지 않는 압력이 작용했음을 알고, 어른들끼리 배를 잡고 웃은 일도 있다.

제 아빠나 엄마가 일부러 희경이에게 「스님 어깨 좀 두드려 드려라」 하면 「나 아니더라도 할 사람 있는데 뭐」 하며 토라지곤 한다.

이국포교의 피로도 요놈들 때문에 잊을 수 있었다. 이 글을 쓰면서도 고놈들의 애교어린 얼굴과 타국에서 서로 의지하고 다독이며 성숙하는 제자들의 모습이 어른거린다.

문경새재

내 발자국 소리!

솔이 일어나네
산이 일어나네
눈을 인 문경새재가 일어나네

쉬어 쉬어 넘었을
옛님들
하얗게 살아나네

전생의 누구로 걸었을
하얀 새벽
밟아 보네!

아! 이런 곳을 별천지라 하는 것일까? 산이 숨고 솔이 숨고, 물소
리 바람소리마저 하얗게 숨어 버린 문경새재! 소리 없는 눈들의 춤

은 환상의 세계로 손짓한다.

제 무게 못 이겨 핏덩이처럼 툭툭 떨어져 내리는 눈뭉치의 절규가 온 산을 잔잔히 메아리치고, 섬뜩 놀라 일어서는 눈발들의 몸서리가 하얗게 하얗게 잠들었던 영혼까지 깨운다.

나귀에 봉물짐을 잔뜩 얹은 장돌뱅이! 허리춤에 딸년 혼수 장만할 전대를 다부지게 잡아 맨 끝순 아비!

얼기빗, 참빗, 큰 채, 둥근 채 어깨 울러맨 떡거머리 총각!

그만 그만한 영혼들이 어울려 새재를 넘는다.

나도 어느 생인가 저 모습으로 이 길을 걸었기에, 눈 덮인 풍경들이 이리도 따사롭겠지. 자욱자욱 밟히는 빠드득 소리마다 도시의 권태가 녹는다. 가슴팍 깊이 깊이 스며드는 시린 공기는 매연으로 찌든 폐액을 녹인다. 오장육부의 실핏줄 틈새마다 삐져 나오는 환희의 떨림은 온 산을 흔들고 우주를 깨운다.

골짝 골짝 번지는 소리 없는 메아리는 깊은 입맞춤의 떨림처럼 울어댄다. 솔가지 가지엔 파아란 사랑이 솟고 천길 낭떠러지엔 삶이 솟는다.

오! 만길 오뇌처럼 문경새재가 문경새재가 살아난다.

솟아라 솟아라, 문경새재야! 그리움도 옛님도 잃어버린 요새 사람들 가슴에 큰바위 얼굴처럼 솟아라!

절 도깨비

　우화나 전설에 나오는 도깨비들은 그래도 귀엽고 맹랑한 모습으로 우리들에게 무서움보다는 친근감을 주는 존재들이다.
　그런데 절간에는 아주 무섭고 두려운 도깨비가 있다.
　눈이 둘 코 하나, 생긴 모습은 우리와 꼭 같은데 하는 일이 가관이다.
　이 절 기웃, 저 절 기웃! 이 스님 찝적, 저 스님 찝적! 이 절 흉을 저 절에, 저 스님 흉을 이 스님에게 옮기어 절 싸움 내지는 중 싸움을 만들고 다닌다.
　더 무서운 것은 무슨 방망이를 휘두르는지, 멀쩡한 중들이 홀리어 함께 춤을 추고 그러다가 헤어날 수 없는 나락으로 떨어진다는 점이다.
　승려들이 타락하고 절이나 시중 포교당이 무너지는 이유 중에 태반이 이 절도깨비 때문이라면……
　타종교에 비하여 불교에 유독 왔다갔다 하는 도깨비가 많은 것은 여러 가지 이유가 있다. 먼저 가르침 자체가 속박되지 않는 해탈을 요구하기 때문이다. 그러나 이것이 직접적이고 근본적인 이유는 아니다. 더 현실적인 이유를 꼽는다면, 소속감을 줄 수 없는 교단의 구조적인 문제도 있고 스님들의 지도관리 능력 등도 들 수 있겠지만, 더 근본적인 것은 신도 자신들의 신앙 정립과 주체성이 결여된 데에 이유를 두고 싶다.

믿는 마음을 바로 세우지 못하고 이 절 저 절 방황하며 문제를 일으키는 신도들의 자세를 꼬집어 보고픈 것이다.

자신이 몸 담아 배우고 닦고 공들여 성숙의 덕을 쌓은 도량이라면, 그 도량을 보호 육성할 책임과 의무는 못 지키더라도 감사하는 마음의 자세 정도는 갖출 줄 알아야 하건만, 화합을 깨고 물의를 일으키며 혼란과 업을 지으니, 이들 같은 무리가 있기에 승려들은 어렵고 힘드는 개척 포교는 포기를 하고, 신도 관리를 하지 않아도 편안히 살 수 있는 재정 튼튼한 기존 절들을 차지하려 칼부림도 불사하게 되는 것이다.

승려들의 못난 짓을 합리화하려는 것이 아니라 신도들의 자세를 이야기하고픈 것이다.

김시습이 어느 날 쌍계사에 가게 되었는데, 뒷간 구석에서 발발 떨고 있는 여귀를 발견하고, 왜 이러고 있는가를 물었다.

여귀 왈, 「살아 생전에 안 가본 절이 없고, 이름 올리지 않는 암자가 없는데, 죽고 나서 배가 고파 밥숫갈이나 얻어 먹으려 이 절 저 절 기웃거려 보았지만 절도깨비 귀신이라고 신장들이 얼씬도 못하게 하니 죽을 지경이다. 쌍계사 불사에도 큰 시주를 한 일이 있어서 홀대하지 않으리란 기대로 왔으나, 이곳 신장들은 더 펄펄 뛰며 〈네년이 시주한 시물이 무주상 보시가 아니고 애착과 교만이 더덕더덕 붙은 업 덩어리여서, 씻어 내고 닦아 내느라 죽을 똥을 쌌으니 한 번만 더 눈에 띄면 박살을 낸다〉 하여 오가지도 못하고 떨고 있다」는 것이었다.

김시습은 「절도깨비 귀신」에게 이 절 저 절 다니며 화합을 깨고 삼보를 비방한 죄가 얼마만큼 무서운 것인가를 일러주고, 지장염불

을 가르쳐 주어 천도되게 했다는 이야기가 있으니, 불자들은 자신도
절도깨비가 아닌가 한 번 정도 점검해 볼 일이다.

절이란 무엇을 뜻함인가

인도에선 수행인들이 모여 사는 곳을 통칭하여 「승가람마 saṅ-ghārāma」라 부르며, 줄여서 「가람」이라고도 한다. 상술하면 여러 수행자들이 모여 사는 고요한 적정처(寂靜處)라는 뜻이다. 또 아란야(阿蘭若)라고도 하며 줄여서 「난야」라고도 하는데, 뜻은 속인들이 사는 곳과 떨어진 산림이나 모래사장 같은 수행에 방해받지 않는 조용한 곳을 말하며, 같은 의미로 정사(精舍)라고도 불렸으니, 인도 최초의 가람이 기원정사였음을 상기할 수 있음이다.

A. D. 67년(후한 명제 영평 10년), 중인도 월지국에서 마등과 법란이란 두 스님이 불상과 불경을 싣고 중국으로 오게 된다. 그때 외국 손님을 접대하는 관사 이름이 홍려사(鴻臚寺)였는데, 그곳에 두 스님을 묵게 하고 뒤에 홍려사를 절로 만들어 백마사(白馬寺)라 이름하게 되니 그 후부터는 중국의 절 이름은 끝에 사(寺)자가 붙게 된다.

사(寺)와 같은 뜻으로 원(院)이라고도 불렸으며 법화원, 고려원 등이 그러하였다. 좀더 규모가 작은 것을 암자라 불렸고, 사부대중(비구, 비구니, 청신남, 청신녀)들이 수풀처럼 많이 모여 수행하는 큰

곳을 총림(叢林)이라 불렀으니, 총림에는 계율을 전문적으로 배우는 율원(律院)이 있고, 경전을 배우는 강원(講院) 참선을 하는 선원(禪院) 등과 많은 사암(寺庵)들이 소속돼 있었다.

중국에서 불교를 받아들인 우리는 사찰 이름을 중국식 그대로 쓰게 되니, 절 사(寺) 자에 땅 찰(刹)을 써서 사찰(寺刹)이라 이름하였고, 총림·원·사·암 등으로 불리웠으며 우리나라 최초의 절도 사(寺) 자가 붙은 성문사, 이불란사가 되었다. 그러나 우리나라에선 우리 고유의 말인 「절」이라는 단어가 대중적으로 쓰이게 된다.

「절」이라 불려진 유래는 고구려의 아도라는 스님이 신라에 불법을 전하고자 신라 땅 선산군 모례집(털보집)에 기거하게 되는데, 바로 그 「털보집」이 어음변화를 이르켜 「절보집」이 되고 나중에는 「절집」이 되었으며 간단하게 「절」이라 부르게 되었다 한다.

일설에는 엎드려 「절」하는 곳이기에 절집이라 불렀다고도 하나 확실한 전거는 찾을 수 없다.

또 도를 닦는 장소라 하여 도장(道場)이라 써놓고 도량이라 읽으니, 지장도량 관음도량이 그 예가 될 것이다. 또 이 도량이란 말을 마음이란 뜻으로도 써서, 마음이 넓은 사람을 도량이 큰 사람이라 칭하여 왔다.

우리나라는 어디를 가나 명산에는 대찰(大刹)이 있고, 푸른 바람과 밝은 달이 뜨는 오묘한 명당터엔 암자들이 깃들여 있다. 금강산엔 팔만구 암자가 명혈마다 자릴 잡아 화장연화 세계를 이루었다 하니, 가히 메시아(미륵)가 오실 땅임에는 틀림없음이리라.

산 좋고 물 좋은 도량[寺]에 도량[心]을 갈고 닦을 수 있음도 이땅에 태어난 우리들의 복이 아니겠는가?

그러나 아쉬움은 작금의 도량[寺]들이 관광화되면서 도(道)의 기운이 쇠하여 가고 큰 도량[大心]을 지닌 인재들이 나오지 않으니, 안타까움이로다. 하루 빨리 남북이 통일되어 기운이 융통되고 맑은 강산의 정기들이 조화되어, 큰도량[大心]의 장부들이 쏟아져 나오길 기원할 뿐이다.

도량마다에는 창건에 얽힌 사연도 많고 그 사연들이 시간과 공간을 초월한 이야기들이라 얄팍한 이성이론이나 평면적 사고로는 이해될 수 없는 부분들이 많지만, 이념과 종교·사상이나 관견(管見)을 깬 눈 열린 사람들에게는 이해되고 남는 세계가 되리니…….

여기에 중국 최초의 사찰인 백마사와 우리나라 청하 보경사에 얽힌 이야기를 하고자 한다.

전술하였듯이 중국으로 불경과 불상을 싣고 마등, 법란 두 스님과 함께 온 백마가 한 필 있었으니, 그 서역의 먼 길을 건너 낯설은 땅, 동토인 낙양에 도착하자 기진하여 명을 마치니, 두 스님은 백마의 노고와 공을 기려 머물던 관사에 절을 짓고 이름마저 백마사라 불렀으며 절 안에 말무덤을 만들어 백마총이라 명명하였다.

인도에서 가지고 온 보물 중에 십이면경(十二面鏡)과 팔면경(八面鏡) 거울이 있었는데 팔면경은 백마사 불전에 안치하고, 십이면경은 말과 함께 백마총에 묻어 주고 공덕비를 세우니, 비문에는 다음과 같이 기록돼 있다.

「이곳에 묻힌 백마는 비록 축생이지만 불경전을 싣고 온 공덕과 인연으로 수백 년 뒤 해동의 사문(스님)으로 환생하여 이곳에 다시 올지니, 그에게 십이면을 주어서 해동국 종남산 아래 백 척의 못을 메우고, 십이면 거울을 묻은 뒤 절을 세워 법을 전하게 하라」는 내용이었다. 예언대로 우리나라 스님 한 분이 백마사에 가 거울을 찾아오게 되고, 지금의 영일군 청하에 있는 종남산 아래 연못을 메워서 절을 세우니 유명한 청하 보경사(寶鏡寺)가 된 것이다. 보배로운 거울을 묻었다 하여 보배 보(寶) 거울 경(鏡) 절 사(寺) 보경사(寶鏡寺)라 이름붙여 지었으니, 시공(時空)을 초월한 이 현실을 어찌 알음알이 이성으로 이해할 수 있겠는가! 그저 전설따라 삼천 리 정도로밖에 들을 수 없는 사람들에게, 종교와 이념을 초월하여 영혼으로 들어보라 권해 보고 싶다.

한 가지 예를 더 든다면 기원전 2세기경에 전 인도를 통솔한 아쇼카 대왕(아육왕)이 불교에 귀의하여 팔만사천의 가람과 팔만수천의 보탑을 세우고 희랍의 여러 나라까지 전도승을 보내어 불법을 유포하니 불심대왕이란 칭호를 듣게 된다.

불심이 더욱 깊어져 철과 황금으로 대불상을 주조하려 하였으나, 세 번 시도에 세 번 다 실패하게 된다. 방관하던 태자의 「불사란 인연따라 자연스럽게 되어야지, 아버님 혼자의 힘으로만 하시려 하지 말라」는 조언을 받아들여 다시 주조하려던 황철 오만칠천 근과 황금 삼만 분을 배에 실어 봉하고, 위에다 글을 써 이르기를,

「내가 석가삼존불(석가 보현 문수)을 조성하려다 인연 없어 실패하니, 인연 있는 불심국에 이르러 장육삼존상(丈六三尊像)이 되게 하소서」라고 발원하여 띄워 보내니, 이 배가 바다를 따라 열여섯의 대국(大國)과 오백 나라 칠천의 소국(小國)을 거쳐 팔만 취락(고을)을 돌며 일천삼백여 년 동안 떠다니다 신라 땅 하곡현 사포에 닿으니, 불심이 돈독하여 말년에 머리를 깎고 스님이 되신 진흥왕 때였다. 나라에선 길조라 하여 그 철과 황금으로 장육삼존불상을 조성하니 상호도 거룩하게 석가삼존불상이 태어나 마침 완성된 황룡사에 봉안케 된다. 그러자 국운은 날로 번성하여 삼국통일의 기틀을 마련하고 국태민안을 노래하게 되었다. 이 모두 시공(時空)을 초월한 불법의 오묘한 인연소치가 아니겠는가!

인도 아쇼카 왕이 띄워 보낸 배가, 시간으로는 천삼백여 년, 공간으로는 수천만 리 수만 촌락을 지나 불법이 가장 융성했던 신라 땅에 닻을 내리게 된 것이다. 이것을 결코 우연이라고만 이야기할 수 있겠는가? 왼쪽으로 기운 나무는 결국 왼쪽으로 쓰러지는 것이 자연의 이치인 것을…….

장육삼존불은 우리나라의 보물로 지정되어 아직도 역사를 생생히 증명하고 있다.

이제 우리는 서양문물의 지나친 선호와 분석적이고 평면적인 사고

에서 벗어날 시기가 되지 않았는가 생각한다. 기하학이나 통계학 등 정확성을 생명으로 하는 수학마저도 직관에 의한 수학을 거론하며 과학이나 수학이 절대적 진리라고 증명했던 진리들이 어린아이 소꿉놀음으로 밝혀지는 현실 속에(평면적 사고의 인간이 발견한 진리는 진리가 아니라는 학자들의 말을 빌리지 않더라도), 우리는 좀더 넓고 깊은 사색의 시야로 깨달음의 세계, 참된 진리의 세계를 찾아야 되는 것이 아닐까?

그때만이 인간들의 모순이 해결되고 서로 살육하는 종교전쟁, 이념전쟁들이 사라져서 인간이 인간을 믿고 사랑하는 삶다운 삶의 세상이 되는 것이 아닐까?

절! 절하는 곳이 굴신운동이나 복을 비는 곳으로 또는 무당굿하는 집으로 잘못 아는 사람들이나 이교도들이 있다면, 아니 이 나라 이 민족의 자손들이라면, 「절집」이 대도무문(大道無門)의 대도량(큰마음)을 닦는 곳임을 이 기회에 알았으면 하는 바람으로 이 글을 맺음한다.

윤 회

요사인 신문·방송 등 모든 매스컴이 고르바초프와 옐친으로 가득차 있다. 소련이 그리고 공산주의가 무너지는 소리들로 정신들이 없는 것 같다. 세계의 반이 무너지는 소리요, 그동안 민주주의와 함께 이념의 두 기둥으로 세상을 버티던 한쪽이 무너지는 소리이니, 지구가 들썩일 수밖에 없으리라.

「무릇 어떤 현상이든 모양 있는 모든 것은 언제인가는 부서지고 만다」는 부처님의 가르침이 새롭게 인식되는 시간이기도 하다. 인간의 무한한 다양성과 가능성을 어떤 틀로 찍어 둘 수 있을까? 인간이 만든 진리는 진리가 아니라는 어느 학자의 말처럼, 레닌의 동상이 쓰러지듯 공산주의라는 진리가 무너져 버리고 있다. 무너지면 만들고 만들어진 건 또 무너지고……

윤회의 굴레 속에 중생들의 모습은 이어져 간다. 다람쥐가 쳇바퀴를 벗어나지 못하듯이. 그럼 윤회의 쳇바퀴 속에서 빠져 나오는 방법은 없을까? 윤회의 바퀴 속에 함께 구르면서도 자유로울 수 있는 지혜는 어떤 것일까?

대자유인! 대해탈인!

그물에 걸리지 않는 바람처럼 살다 가신 부처님을 생각해 본다.

나비의 해탈

토굴방 밀창가에 따스한 볕을 받으며 지긋이 눈감으니 봄이 오는 소리가 들린다. 노오란 장다리밭에 봄빛 타고 노니는 하얀나비의 날개짓이 눈부시다.

꽃가루분을 바른 촉수를 낼름이며 이 꽃과 저 꽃 사이 춤을 추는 예쁜 나비! 저 놈이 저리도 자유로울 수 있는 것은 끊임없는 탈바꿈의 몸부림 속에 자신을 지탱할 수 있었기 때문이리라!

고려 말기 왕사를 지낸 보우 스님이 마흔일곱에 중국 유학을 감행했고, 중국의 조주 스님은 일세를 풍미한 대종사이면서도, 팔십노구를 이끌고 다시 만행의 길에 오른 사실!

석학이요 대시인인 미당 선생이 칠십중반의 연세에도 소련에 공부를 하러 떠나시는 일련의 몸짓들!

이 모두가 좀더 자유롭고 성숙된 나비가 되고자 함이 아니겠는가! 고개가 끄덕여진다.

내 나이 마흔 중반, 포교승으로서는 성공한 케이스로 회자되고 있으나, 성공의 껍질들이 비듬조각보다 못하게 여겨지는 것은 욕심이 과한 탓인가? 이곳 저곳 이 나라 저 나라에 포교당을 개설하고, 종합 불교타운을 설계해 놓고, 도로 불사를 마무리하는 단계 등…….

밥 세 끼를 다 찾아 먹지 못하는 바쁜 일정에서, 반 년이 될지 10년이 될지 모르는 신앙의 확인 작업 내지 자신의 재확인 공부를 하러 떠나겠다니, 신도들이 아연실색함은 무리가 아니리라.

순조롭게 진행되는 불사에 손을 놓고 공부길에 오른다는 것은 어리석은 짓이라고 도반들까지 만류하지만, 더 자유로운 나비가 되고픈 갈증은 자신을 더 이상 잡아 둘 수 없게 만든다. 집을 짓는 축조불사도 좋겠으나 그 불사가 보람되기 위해서도 자신의 재확인 불사가 선행돼야 함은 갈증을 넘어 순리인 것을 어쩌랴!

따지고 보면 껍질이, 껍질이 알맹이임에는 틀림없으나 다시 한번 확인해 보고 싶은 것은 중생으로 태어난 슬픈 업(業) 때문이리라!

모든 것을 제쳐 놓고 길을 떠날 것을 결심하였으니, 보우 스님이나 조주 스님의 떠남과 비교할 순 없겠지만 평생 짓고 쌓은 모든 것을 미련없이 내려 놓는 기쁨, 나비의 날개짓에 비하랴!

떠나자 떠나자, 날개 없는 날개를 위해!

외교관과 종교

해외 포교를 하다 보니 현직 공관인들과 외교관들을 만나게 된다. 거의 다 국익 차원에서 일하는 사람들이고 보니, 종교를 초월하여 공무를 처리하는 세련된 모습들을 보인다. 그러나 모두가 다 그런 것은 아니었으니, 이해관계가 얽힌 입장에선 종교의 색깔이 두드러지게 나타나 편향되고 편협한 처사를 왕왕 대하게 된다.

나라를 대표하는 외교관이 특정 종교의 입장에서 일을 처리할 때 많은 문제가 야기될 것 같다. 외교관뿐만 아니라 나라를 짊어질 정치인이나 경제인도 마찬가지일 것이다. 예를 들어 우리나라 같은 다종교 사회에서 국정 책임자가 집무실에 부처님을 모셔 놓고 예불을 한다거나, 십자가를 걸어 놓고 아침 저녁 찬송가를 부른다면 어찌될까?

우리나라에선 그런 일이 없겠지만, 개인적으로 어떤 신앙을 가졌던 외교관 개개인은 나라의 얼굴이니 원만하고 세련된 품격들을 지녔으면……

의미 있는 삶

이번 인니 공덕원에서의 용맹기도와 부산 지장원에서의 철야기도는 참으로 의미 있는 시간들이었다.

행주좌와의 모든 일상생활이 기도요, 공부이지만, 자칫 나태해질 마음을 추스리는 용맹정진은 신앙과 삶에 활력을 불어 넣어 준다. 인니에서는 지장기도와 지장사상 강연을 통해, 비록 우리가 어머니 몸을 떠날 때 육신의 탯줄은 끊고 나왔지만 영혼의 탯줄은 끊을 수 없듯, 고국을 떠나 왔지만 꿈속에 고향을 헤매듯 조상들이 누워 계시고 부모형제가 살고 있는 고국 강산을 생각하며, 자신들의 입지를 확인하는 계기들이 되었다.

나아가 인도네시아 땅도, 전생 어느 생엔가 밟았던 인연이 있기에 다시 오게 된 것으로 믿고, 인니 땅의 모든 생령들과 이 나라의 번영을 비는 기도도 올리게 되었다.

이어진 부산 지장원에서의 용맹기도 역시 지극 정성으로 올려졌으며 기도를 마치는 회향날에는 수계식도 거행되었다. 팔목에 연비를 하며 외우는 참회 진언은 자욱한 향내음에 실리어, 수계제자들의 가슴에 조용한 흐느낌으로 번지게 되었으니, 그 자리는 그대로 연화가

편 화장연화 세계였다.

팔목을 향불로 태우고 또 태우며 유난히도 흐느낌이 길었던 한 여인이 있었다. 기도가 끝난 뒤 내 방에 들어와 곱게 삼배를 올리며 또 눈물을 하염없이 지었다. 연유를 물은즉 가슴에 와닿는 대답을 하였으니, 언제부터인가 왜 사는지 왜 살아 가는지를 스스로 묻게 되었고, 대답이 나오지 않는 하루하루의 생활은 점점 의미를 잃어 가게 되었단다.

자신을 부셔 버리고픈 충동과 공허 속에 몇 번의 자살 기도는 가족이나 이웃들에게 약간 돌아 버린 사람으로 취급을 받게 되었는데, 우연히 친구따라 나와서 부처님의 가르침을 듣게 되고, 삶 자체가 무상이요, 무아이며 고통이라는 진리에 깊이 공감하게 되었으며, 밤새워 자신과 싸우는 철야 용맹정진이 계속되는 과정에서 죽고픈 충동들이 살고픈 기쁨으로, 의미 없고 공허했던 시간들이 놀랍게도 아름다운 환희들로 다가오게 되었으니 기쁜 눈물을 흘리지 않을 수 없었단다.

참으로 가슴에 와닿는 얘기들이었다. 어디! 이 여인의 인생뿐이겠는가? 되풀이되는 쳇바퀴 같은 일상이, 우리들 누구에게나 자칫 빛바랜 모습으로 다가올 수도 있는 것이니…….

「가만히 생각하면 인생은 의미 없는 공허와 내적인 혼란 외적인 갈등으로 상당 부분 채워졌다」는 말에 고개가 끄덕여진다. 그러기에 어떤 시인은 「인생은 의미 있는 것이요 의미 있는 것이요! 의미를 찾는 것이 삶이요!」라고 노래하고 다니지 않았던가.

이 승려 역시 부처님을 영원한 연인으로 가슴에 담기 전에는 공허와 혼란의 연속이었다. 사모의 눈이 싹트므로 혼란과 갈등, 번뇌와 아픔 그리고 의미 없는 것들조차도 의미로 환생하는 기쁨을 갖게 되었다.

앞의 여인 얘기가 어찌 한 사람만의 얘기가 되겠는가! 의미를 찾는 삶, 그것이 신앙이든 예술이든 마루바닥을 훔치는 걸레질이 되든 살 만한 삶이 되리라.

회향의 꽃

일 주일 동안 우리는 많은 불교의식들을 배웠습니다. 잊혀졌고 잊혀 가던 의식을 발굴하여 재현해 보고 많은 사람들이 직접 동참을 하였습니다. 불교결혼식, 연비의식, 사경의식 등 재현되는 모습을 매스컴에서 취재해 갔습니다.

부처님법이 대중과 함께 할 수 있다는 인식들을 심어 주는 좋은 결과를 가져왔다고 방송국과 신문사에서 전화들이 왔습니다. 외적으로는 부처님의 가르침을 전해서 부처님의 막대한 은혜를 갚고, 내적으로는 갈등스럽고 혼란한 자기 자신들을 바로 세우는 계기도 되었습니다.

자기가 전생에 지은 업이 두텁다는 것을 인식하고 참회의식과 연비의식, 많은 업장소멸의식을 통해서 일 주일 동안 우리들의 업장을 녹여 오기도 했습니다.

오늘은 바로 일 주일 동안의 기도를 회향하는 날입니다. 회향이란 돌려서 향한다는 뜻으로 내가 쌓은 공덕을 나 혼자 갖지 않고 나보다 힘든 이들에게, 나보다 외로운 이들에게 나보다 괴로운 이들에게 돌려 준다는 말입니다.

우리의 복바가지에 칠 일 동안 담은 공덕이 있다면 칠 일 동안 만큼의 양밖에는 가질 수 없겠지만, 그러나 이 공덕을 회향한다면 칠 일이 아닌 칠십 일, 칠백 일, 아니 영원히 내 복그릇에 공덕이 담긴다는 사실을 깨달아야 합니다.

남을 위해서 희생 봉사하는 사람들! 그들의 삶을 보면 언제나 즐겁고 윤택하며 보람되고 의미가 있습니다.

성현의 말씀을 빌리지 않더라도 인생이란 어떤 면에서 허무하고 공허하고 재미없고 무의미한 것임을 느낄 때가 있습니다.

나이가 먹을수록 무의미의 무게가 더해감을 알게 됩니다. 그 무의미한 인생 속에 「님」이라는 존재를 가슴에 품을 때 다시 우리의 가슴은 뛰고 여러 가지 무의미한 것들에 의미가 붙게 됩니다.

여기 있는 스님도 승려가 되기 전에는 안에서 일어나는 혼란, 밖에서 일어나는 혼란, 무엇이 옳은 건지, 무엇이 그른 건지, 어떻게 살아야 잘 사는 건지, 어떻게 살아야 좋은 건지 갈등하며 무척이나 헤매고 아파했습니다.

그러나 부처님을 가슴에 담고부터는 어떠한 외로움이, 어떠한 괴로움이, 어떠한 아픔이 닥쳐 오더라도 그것을 해결할 수 있는 지혜와 용기를 갖게 되었고, 어떠한 슬픔이 와도 그것을 승화시킬 수 있는 힘을 지니게 되었습니다.

수행자도 인간이기에, 부처님을 사모하는 마음이 때로는 식을 때도 있었습니다. 한 번 사모하면 영원히 사모할 수 있는 줄로 알았습니다.

사모의 정이 식을 때일수록 더욱더 몸부림하고 기도와 기도를 통해 사모의 정을 다시 싹틔우며 지금까지 살아오고 있습니다. 스님이 이러할진데 속가의 삶은 얼마나 괴로우며 얼마나 갈등이 많겠습니까?

그 갈등과 외로움들을 우리는 의미 있는 삶으로 승화시키기 위하여 종교적인 행위를 하는 것입니다. 슬픔이 왔다 해서 너무 슬퍼하지 말고 기쁨이 왔다 해서 너무 기뻐하지 말며 언제나 조용히 관조하며 기도를 해야 합니다.

행복과 불행은 쌍둥이라 했습니다. 행복이 설치면 반드시 불행이 설치게 되며 또한 불행이 나타나면 행복이 나타나게 되는 것입니다.

부디, 이 부처님의 말씀 가슴 깊이 새겨서 지혜롭고 용기 있게 살길 바랍니다. 아무렇게나 (악하고, 독하게) 사는 삶이 따지고 보면 더 어려운 삶일 것입니다. 착하게 살아 가는 것이 훨씬 쉬운 방법이 됩니다.

부처님께 돈 달라, 떡 달라, 비는 것보다 반드시 자기 자신을 돌아볼 줄 알고 착함을 지킬 수 있는 용기와 지혜의 선물을 달라고 기도하십시오. 그것이 부처님 최고 선물이요 보물인 것입니다.

두 시간 삼십 분의 꿈

....
말 달리던 선구자
....

지금은 어느 곳에 거친 꿈이 깊었나

비행기 내에 흐르는 감미로운 음악에 이국 정취가 깃들어 묘한 감정을 자아낸다. 기쁨도 슬픔도 아닌 뭉클한 서러움, 그 잔잔한 파문은 비행기가 서서히 활주로로 구르는 여운따라 흔들려 간다. 미움·사랑, 어린시절 달콤했던 감상은 세월의 살 속에 녹아, 곰삭아 버린 줄 알았는데…….

서서히 움직이던 비행기가 온 힘을 다하여 요동을 한다. 장난감 자동차의 태엽이 죄였다 풀어지듯 쪽 곧은 활주로 따라 굉음을 내며 쏜살같이 질주한다.

하늘을 향한 몸부림! 날아오르려는 인간의 갈망을 대변하듯 비행기의 몸통에는 터질 듯 핏줄이 선다. 땅을 차고 오른 비행기는 이륙 때와는 달리 여유 있게 항로를 잡아 선회한다. 그 날개 아래로 성냥

갑 같은 집들이 옹기종기 귀밀답고, 파아란 바다에는 배들이 긴 꼬리 거품을 내며 굼뜨게 움직인다.

구름 위로 오른 비행기 날개에 눈부신 태양빛이 반사되어 화장연화 세계를 연출한다. 떠 있는 두려움도 하늘 한가운데 있다는 생각마저도 까맣게 잊어버린 선정의 세계! 오로지 모기 소리 같은 위-잉 하는 흐름이 시간을 세운다.

가는 걸까? 떠 있는 걸까? 상상할 수 없었던 구름새들이 잡힐 듯 스치어 지나가고, 도리천 도솔천이 열려진다.

아! 그런데 이게 뭔가? 갑작스런 먹구름과 폭풍우가 창가의 시야를 가려 버린다.

멀쩡하던 비행기가 중풍 들린 텔레비전처럼 떨고, 사시나무가 파랗게 질리어 움추리듯……숨막힌 긴장이 기내(機內)를 짓눌러 온다.

떨림을 자제하려는 기장(機長)의 침착한 목소리와 스튜어디스의 부자유스런 미소는 불안을 더해 간다. 쾅! 하는 벼락 소리와 함께 연줄 끊어지듯 툭 떨어져 내리는 비행기. 이제는 죽었구나! 기내의 아비규환, 지옥이 있다면 이 모습보다 더하지는 않으리라.

몇 초 몇 분 후면 핏방울 흔적마저 산산히 분해될 상황이다.

그런데, 이륙 때의 뭉클했던 감상도 어디로 가고, 절대 절명의 상황조차 나와는 무관한 일인 양 바라보아지는 이 마음, 무슨 변덕일까?

닦아온 무게 때문인가? 아니면 낡은 껍질 벗어 놓고 새옷 갈아 입을 수 있다는 믿음 때문일까?

벼락 맞고 산 사람을 영화에서나 보았지만, 벼락 맞은 비행기가 다시 살아 남은 것은 난생 처음 경험했으니, 생사의 갈림길에 허우적대던 모습들은 금세 어디로 가고 안도의 미소와 순간이지만 생사를 같이했다는 친밀감들로 또 한바탕 다른 세계를 자아낸다.

삶이란! 참으로……얼마나 시간이 흘렀을까? 곧 착륙하겠다는 기내(機內) 방송이 나온 뒤, 덜컹 하며 바퀴 내려지는 소리를 감지할 수 있었다. 조금 후, 쿵 하는 소리와 함께 또 기체는 떨기 시작한다. 사랑 모르던 동승(童僧) 사랑을 알아 버린 가슴처럼 애욕을 알아 버린 산승(山僧) 제자리를 벗어나지 않으려 몸부림하듯, 비행기는 그렇게 내려앉았다.

5

회상 · I

온 산이 기지개를 켠다. 숨죽여 졸졸거리던 돌틈의 물방울도, 자욱한 산 안개를 어루만지며 번지는 도량석 목탁 소리도……봄내음 불어오는 이맘때쯤이면 가끔 옛일이 떠오른다.

새벽 예불을 마치고 나오는 대웅전 뜨락, 흐끄므레한 새벽 안개에 젖어 서 있던 사람들! 당숙어른, 장래를 약속했던 여인의 오라버니, 이제는 기억마저 희미한 몇몇 사람들.

산 아래 여관에 할머니, 어머니, 형제들이 함께 와서 기다리고 있으니 내려가자는 것이다.

숨죽이고 바라보는 동료 선배 스님들. 「아직 계도 받지 않았으니 올라오지 않아도 되네!」 하는 어른 스님의 말씀에 그들따라 내려오는 산길은 멀기도 했다.

산 아래 여관방에 병색 짙은 어머니, 초췌하지만 반가워하시는 할머니의 모습, 눈물 고인 여인의 눈망울. 멍한 시간들이 얼마나 흘렀던가! 벌떡 일어서서 손을 끌며 가자시던 어머니, 일단 집으로 가서 얘기하자고 합세하시던 할머니. 삼 년만 여유를 달라고 애걸하던 내 모습……

지금 내려가면 목에 걸린 가시처럼 삶이 괴로울 것 같으니 삼 년의 여유를 주면, 내 삶의 갈등과 갈증을 해결하고 내려가겠다는 간청에 어머니와 할머니는 울부짖으며 말씀하셨다.

「이놈아! 삼 년만에 도통하지 못하면 또 몇 삼 년을 기다려야 한단 말이냐? 육이오 때 행방불명된 네 아부지, 기다리고 기다리다 피마른 가슴들이다. 또 너를 기다려야 한단 말이냐, 이놈아! 무엇이 불만이냐? 네 에미, 피땀 흘려 벌어 놓은 돈 쓰고만 살아도 갑부 소린 못들어도 부자 소린 듣고 살 테고, 곱고 착한 계집과 아들딸 낳고 오손도손 살면 되지, 그거 말고 뭐가 또 있단 말이냐! 넌 종손이고 장손이며 떼과부집 맏자식인줄 몰랐더냐? 세 과부가 부족해서 생과부를 또하나 만들 작정이란 말이냐, 이놈아 내려가자! 네가 안 내려가면, 우리 모두 여기서 죽을란다.」

막무가내인 어머니와 할머니를 당숙이 달래셨다.

「저 아이도 생각 없는 아이가 아니니 고정하시고 차근차근 상의를 합시다. 사내가 칼을 뺐으면 호박이라도 찌르라 하였으니……그 많은 인연들을 끊고 산으로 올라와야 했던, 저 아이 심정도 헤아려 봅시다. 이대로 함께 내려간들 저 아이 삶이 무슨 의미가 있겠습니까? 중노릇이 그리 쉬운 것도 아닐 게고, 또 우리가 생각하는 것처럼 도인들만 사는 곳도 아닐 테니, 삼 년까지 안 기다려도 될 겁니다. 그러니 먼저 일 년의 여유를 주어 봅시다. 그래 네 의견은 어떠하냐?」

당숙의 말씀에도 일리가 있었고 그들을 설득할 방법이 없었기에 무책임한 동의를 할 수밖에 없었으니……

펄펄 뛰던 가족들도 못이기는 체 당숙의 말에 수긍을 했으나, 여인네 형제들은 달랐다.

한 여인의 일생을 망쳐 놓지 않으려거든 믿을 수 있는 방법을 강구해야지, 일 년이 될지 몇 년이 될지 모르는 세월을 막연히 기다릴 수 없다는 얘기였다.

말 없는 시간들이 흘렀다. 새벽부터의 실랑이가 땅거미가 지는데도 해결이 나지 않았으니, 하루 종일 아무것도 먹지 못한 사람들은 지쳐 있었다.

아무말도 없던 여인이 조용히 입을 연다.

「저희 일이니 저희가 해결하겠습니다. 죄송스럽지만 모두 나가 주십시오.」

눈물 가득 고인 그녀의 눈을 바로 볼 수 없었다. 그저 마음속으로 수십 번 용서하라는 말밖에. 침묵은 오래 가지 않았다.

「당신을 만난 지 삼 개월밖에 되지 않았지만 조금은 당신을 이해할 것 같습니다. 짧은 시간이었지만 사랑을 했고 장래도 약속을 했습니다. 모든 말은 생략하겠으니 두 가지만 약속해 주십시오. 그러면 어른들과 내려 가겠습니다. 가시는 곳을 알려 주시고, 약속한 날에 돌아와 주십시오. 약속할 수 있으시겠습니까?」

나는 약속을 하고 말았다.

「장부일언 중천금이라 하였으니 믿고 내려가겠습니다.」

내려가는 뒷모습들에 마음속으로 삼배하며 꼭 도통하여 약속을 지키겠다고 다짐하였으나, 이제는 모두 볼 수 없는 사람들이 되고 말았다.

그녀를 만나 용서를 빌기 전엔 내 평생 대장부일 수는 없으리라! 더 큰 중되어 그녀를 떳떳이 볼 수 있을 때쯤이면, 탤런트 노릇하던 그녀의 예쁜 얼굴에도 고운 주름들이 가득하고, 손자 손녀들이 주렁 주렁 하리라. 이제는 뵐 수조차 없이 먼곳으로 가신 할머니, 어머니, 당숙 내외.

그들에게 약속을 지키는 일도 역시 도심(道心)을 잃지 않는 중이 되는 길이리라!

회상 · 2

인연?

업?

나의 포교생활의 반이 여인들과의 싸움이었다면, 아니 결국은 자신과의 싸움이었지만 전생에 지은 업이 지중했던 것만은 틀림없는 듯하다.

아무리 자신을 낮게 평가해 보아도 결코 육욕적인 사람은 못 된다. 종교적 성향이고 청교도적 성격이다. 그런데도 어떤 의미로든 여인들로 인해 아픈 곤욕을 치뤄 내야 했음은 내 수행이 덜 익었음도 있겠지만 팔자소관인 것 같다.

전생에 지은 내 업이, 금생 사주팔자에 도화살과 홍염살로 작용하고 있는 것이라면 승려의 망발일까? 한때는 여인들의 입방아, 시샘, 질투 나아가선 중상 모략으로 여인 기피증과 공포증에 걸려 전법포교를 그만두려 했던 어린 때도 있었다. 포교승이라면 이 마장을 필히 넘고 잘 다스려야 훌륭한 전법사가 됨을 불교사가 증명하고 있으니, 결국 이 여인이라는 마장을 통해 포교승은 커야 한다. 인간이 인간을 떠나 무엇을 성취할 수 있을까? 그리고 더욱 분명한 것은 도화살이든 역마살이든 사주팔자에 무슨 살(殺)이 끼었어도, 마음 쓰기에 따라 득이 되고 덕이 된다는 것이다.

깨끗한 마음을 지닌 승려에게 낀 도화살은 많은 여인을 제도하는 인연이 될 것이고, 불심 강한 승려에게 낀 역마살은 방방곡곡을 돌며 전법포교하는 선연이 될 것이니, 사주에 낀 살(殺)을 걱정 말고 누구든 부지런히 닦지 못함을 걱정할 수밖에.

여인이 마장이라는 얘기가 나왔으나 그 반대일 경우도 있다. 이제는 강산이 변한 옛 얘기가 되고 말았지만, 평생 갚을 길 없는 은혜를 입은 여인이 있었다.

참으로 참담했던 상황에서 속가의 가족을 구해 준 여인, 내 참으로 활연대오하는 날, 인연이 된다면 그녀 앞에 삼배하리라는 생각을 버리지 못하고 있다.

수행 도중 우연찮게 속가의 남동생이 잘못없이 구치소에 들어갔으며, 속수무책 재판을 기다리고 있다는 소식을 접했다.

이미 끊어진 속가의 일인데……. 속가의 반연들은 이미 다 끊어지고 잊혀진 일로 알았는데, 눌려 있던 풀들이 되살아나듯, 온갖 상념과 번뇌들이 고개를 들었다.

그 많은 아픔들을 치루고서 눌러 앉은 대가치곤, 너무도 보잘것없는 자신! 허탈한 가슴으로 동생을 찾아갔다. 철장 사이로 쳐다봐야 하는 형제들의 아픔! 아무런 힘 없는 형의 심정은 스님의 신분마저 망각하고 울게 했다.

내용인즉 동업자와의 힘겨루기에서 밀려나고, 억울한 누명과 조서 조작으로 재판을 받기에 이른 것이다. 백방으로 뛰었으나 이미 풍지박산된 가세. 유치장에 사식 한 그릇 넣어 줄 수 없는 입장.

내가 산으로 간 뒤 뿔뿔이 헤어졌던 가족들의 소식과 거처를 접하게 되었다. 알콜 중독된 어머니, 중풍 걸린 할머니, 암으로 돌아간 매제, 세상물정 모르는 남편 잃은 누이동생과 그의 어린 두 자식, 이럴 수가 이럴 수가! 모두 쉴 곳 없는 언병아리 같은 신세들이었다.

내 한 사람 출가가 집안을 이렇게 쑥밭으로 만들었다니, 일자출가(一子出家)하면 구족(九族)이 생천(生天)한다 하였건만……

남동생이 거래하던 은행을 들렀는데 거기서(대학교 때 아르바이트로 가르쳤던) 여제자를 만나게 된다. 은행 출납을 보던 그 제자의 도움으로 남동생의 은행거래 실적과 알아야 할 많은 것들을 알게 되고, 그때부터 물심양면으로 지원을 받는 소설 같은 인연을 맺게 된다.

결국 동생은 무죄판결을 받고 나왔으나, 가족 모두를 편안하게 쉴 수 있도록 배려해 놓은 그녀의 고운 마음은, 나의 발에 족쇄의 인연을 만들게 된다. 그러나 정으로도 사랑으로도 부모 형제의 천륜으로도 해결될 수 없던, 내 내면의 괴물! 그 실체를 찾아 확인하려는 몸부림은 사랑하는 이들 가슴에 더 깊은 상처를 남기고 또 길을 뜨고 말았다.

흘러가는 세월 속에 그 상흔들은 아물어 갔지만, 은행 제자에게 지었던 마음의 빚과 물질의 빚을 어떻게 갚아야 할지?

어느 하늘에선가 내려다보고 계실 할머님들과 어머니, 그리고 어느 하늘 아랜가에 아팠던 추억을 숨기고 살아갈 고운 여인!

속죄하는 마음으로 이 글을 쓰며, 전법과 수행으로 그 은혜를 갚고자 함은 변함 없는 영원한 원이 되리라!

친구하자 친구하자

　겨우내 찬서리를 아랫도리로 막고 서서 피워 올린 매화향이 향그
럽고, 버들가지에 물오르는 소리가 꿈결인 양 들려 오는 운제산 오어
사 호숫가에 서 있다.

　조롱박을 두드리며 무애가를 부르던 원효 스님의 흔적도, 우물 속
에 몇 달씩 들어가 살았다던 신통스런 혜공 스님의 자취도 흔들리는
물그림자에 지워졌는지 보이지 않고, 그들 귀신에 홀려 여기까지 온
자신의 모습을 본다.

　천수백 년의 세월이 녹아 있는 오어사 호수 속! 돌멩이를 던져 넣
고 원효와 혜공을 부른다. 파문따라 원효의 무애가가 흘러나오고, 흥
이 난 혜공, 삼태기를 뒤집어 쓰고 너울너울 춤을 추며 세월 속을 걸
어 나온다.

　수억 겁을 떴다 진 해와 달이 모두 일어나 장단 맞추고, 혜공과 원
효가 먹어 버린 고기들이 살아서 뻐끔거리며 흥을 돋군다. 점입가경!
원효와 혜공이 손짓하는 세월의 호수 속으로 나도 따라 춤을 추며 들
어간다.

　「스님 미쳤소? 이 호수는 깊어서 빠지면 죽소!」

퉁명스러우나 정이 가는 스님에게 오어사에 살았던 기승(奇僧) 혜공 스님에 대하여 듣는다.

혜공화상은 선덕여왕 때 「천진공」의 집 심부름꾼의 아들로 태어났고, 이름은 우조, 칠 세 때 천진공의 창병을 고치고 이적을 보이니, 천진공이 스승으로 삼으려 하나 머리 깎고 승려가 되어 혜공이라 이름하게 된다.

언제나 삼태기를 들고 다녔으며 취하여 노래와 춤을 추고 다니니 세인들은 그를 삼태기화상이라 부르고, 그가 머물던 암자도 삼태기 절이라 불렀다.

어떤 때는 우물 속에 들어가 몇 달씩 나오지 않았으며, 나올 때는 꼭 청의동자가 먼저 나왔다 한다.

우물에서 나와도 옷이 조금도 젖지 않는 신통함을 보였으며, 당대의 걸승 원효가 경소(經疏)를 지으면서 모르는 부분을 물었다 하니 가히 그의 진가를 알 수 있음이로다.

하루는 원효와 냇가에서 고기를 잡아 안주 삼아 곡차를 마시는데 지나가는 사람들이 살생한다 야유하니, 옷을 벗고 두 사람 다 냇가에 변을 보는데, 이들 먹은 고기들이 다시 살아나 헤엄쳐 가는 신통스런 일이 벌어진다.

원효와 혜공은 서로 내 고기[吾魚]라 자랑했으며, 그 연유로 혜공이 머무르던 절 이름이 「내 고기 절[吾魚寺]」이 되었다 한다.

또 그는 죽을 때 공중에 떠서 죽으니 그의 신기한 일화들이 후세 사람들에게까지 회자되고 있으며, 신라 십성(十聖) 중에 한 사람이었다 한다.

아무리 벗이 없다 한들 죽은 귀신들에게 홀리여 귀신들 노니는 장소만 찾아다녔으니 무슨 소득이 있겠는가! 차라리 살아 있는 귀신들 친구 만들어 사느니만 못하니, 산귀신들아 친구하자 친구하자!

신통과 도통

　신통(神通)이란 마음으로 헤아리기 어려운 부분까지 통하여 아는 무애자재한 통력(通力)을 말함이며, 상술하면 일반적으로 삼명육통(三明六通)을 들 수 있는데, 먼저 삼명(三明)은 숙명명(宿命明)·천안명(天眼明)·누진명(漏盡明)이 그것이다.

　숙명명은 숙명통이라고도 하며, 자신과 남의 지난 세월의 상태를 아는 밝음(明)이고, 천안명은 역시 천안통이라고도 부르며, 앞으로 닥칠 삶과 다음 생의 운명까지 아는 밝음(明)이다.

　누진명 역시 누진통이라 하여 현세의 고통을 잘 알아 번뇌와 망상을 끊을 수 있는 밝음을 말함인데, 여기에다 천이통(天耳通)·신족통(神足通)·타심통(他心通)을 합하여 6신통이라 하고, 숙명·천안·누진에 밝게 안다는 명(明) 자를 붙여 삼명육통(三明六通)이라 부르게 된다.

　천이통은 보통 귀로 들을 수 없는 소리를 다 들을 수 있으며, 타심통은 남의 마음을 유리 속 보듯 아는 것이고, 신족통은 자유 자재로 다닐 수 있는 경지인 것이다.

　이 신통들은 수행 과정에서 오는 자연스런 경계(境界)인데 이 경계들을 대오(大悟)한 도통(道通)의 경지로 잘못 아는 수가 있다.

신통들을 나무 잎새에, 도통(道通)은 나무에 비교하니, 작은 잎새를 큰 나무라 부르지 않는 것처럼 삼명육통의 잎파리를 도통(큰 나무)이라고 부르지 않는 것과 같다.

부처님 제자 중에 아나률이란 사람이 있었는데, 그는 속가로 부처님 종제인 왕손이었으니, 모진 수행이 견디기 힘들어 졸기 일쑤였다.

하루는 그날도 졸다가 부처님으로부터 호된 꾸중을 듣게 된다. 이에 크게 발심을 하여, 잠을 자지 않고 공부를 하다가 실명을 하게 되나, 대신 천안통이 트이게 된다. 천안통이 트인 아나률에게 제일 큰 사형인 마하가섭이 축하를 한다.

천안통을 얻었음을 치하한다는 말에 아나률은 거만한 자세로 인사를 받으며 「사형도 부지런히 공부해서 천안통을 얻으시오」라고 한다.

이때 가섭은 아나율의 손을 꼬옥 잡고 다정하게 속삭여 준다.

「사제야! 네가 본 것은 작은 나무 잎새에 불과하느니라. 뾰족이 돋아난 잎새 하나를 보고 뿌리와 줄기, 열매와 꽃을 보았다고 말할 순 없느니라! 천안통이 트였다는 교만을 버리고, 세상의 이치를 더 깊이 이해하고, 세상의 모든 중생들을 더 따뜻이 바라볼 수 있는 자비의 눈을 지녀야 하느니라! 작은 천안통의 노예가 되지 말고 더욱 정진하여 대도를 이루어라.」

따뜻한 가르침에 아나률은 고마움의 눈물을 흘리면서 가섭에게 절을 올린다. 마하가섭의 가르침대로 신통이 도 닦는 목적이 아니며, 닦는 과정에서 넘어야 할 경계임을 우린 알아야 할 것 같다.

하나의 예를 더 들어보자.

어느 못난 스님이 수행은 하지 않고 나쁜 짓을 하다가 대중처소(절)에서 쫓겨나게 된다. 산문 밖에서 이를 갈며 울고 있는데 도깨비가 접근해서 유혹을 한다.

「스님 나와 합작합시다. 나도 이 절 스님네한테 유감이 많습니다. 내가 아무리 신통을 부려도 사람들이 나한테는 공양을 올리지 않는데 이 절 안에 있는 신통 없는 돌부처와, 할 일 없이 벽만 보고 앉아 있는 중들에겐 매일 공양을 바쳐 올리니, 우리 둘이 힘을 합해 공양 좀 받아 봅시다.」

그리고 나서 도깨비와 망나니 스님이 짜낸 꾀가 가관이었으니, 도깨비는 사람 눈에 띄지 않으니 도깨비 목에 스님을 얹고 다니면, 스님이 공중에 떠 다니는 것(신족통을 얻은 스님으로)처럼 보일테고, 틀림없이 세인들의 공양을 받을 것이니 공양물을 나눠 먹자는 것이었다.

아닌게 아니라 공중에 둥둥 떠다니는 망나니 스님 앞에 신도들은 큰 절을 올리며 공양물을 올리게 되었고, 큰스님을 몰라 뵈었다며 참회의 눈물까지 흘리게 되니, 도깨비와 망나니 스님은 살판이 난 것이다.

욕심이 과해지다 보니 망나니 스님, 쫓겨난 절에 보복이 하고 싶어 도깨비에게 절 안에 있는 중들을 골려 주자고 꼬였으나 절안에는 들어갈 수가 없다는 것이었다.

이유는 도량(절)에는 도량신과 호법신장들이 있어 그들 눈에 뜨이면 금강철퇴로 도깨비 정도는 박살이 난다는 것이었다.

그래도 한 번만 절문 밖에까지 갔다 오자는 애걸에 못이겨, 도깨비는 절문 앞에 이르게 되었다.

절 앞에 온 망나니 스님 고래고래 소리를 지르며,「절 안의 중놈들아, 나와서 내 신통 좀 봐라! 나같이 할 수 없거든, 모두 엎드려 사과해! 그렇지 않으면 신통으로 이 절을 날려 버리겠다」고 야단을 떠니 많은 사람들이 모여 들게 되었다.

이때 도량을 돌던 신장들이 나오는데 신장을 본 도깨비「걸음아! 나 살려라」하며, 목에 얹은 스님은 집어던지고 줄행랑을 놓으니, 이 망나니 스님 또 다리가 부러져 다시 울게 되고 만다.

도통(道通)이란 살아 가는 이치를 궁구하여, 더불어 사는 이들을 사랑하고 깊이 이해하는 마음이요, 언제 어디서나 스스로 설 수 있는 힘이며, 어느 길이든 혼자 갈 수 있는 능력인 것이지, 신통조화를 부리는 것이 아님을 알았으면…….

멸치의 꿈

　황해 바다에 사는 멸치가 꿈을 꾸었다. 자신의 몸뚱이가 하늘로 올라갔다 내려갔다 하더니, 흰구름이 뭉게뭉게 피어 나고 눈이 펑펑 쏟아졌다. 또 갑자기 날씨가 더워졌다 시원해졌다 하더니 몸뚱이가 뜨거워졌다 추워졌다 하는 꿈이었다. 하도 이상하여 멸치는 새벽잠을 설치면서 꿈풀이를 해보려고 온 지식을 다 동원했으나 오리무중이었다.

　날이 새자마자 가자미에게 달려가서 꿈 얘기를 했더니, 고개를 갸우뚱거리며 서해 바다의 도사 망둥이를 천거한다. 멸치는 가자미를 보내서 망둥이 도사를 초청해 오도록 한다. 망둥이가 도착하자 식사 대접을 하며 꿈풀이를 청한다.

　망둥이 도사, 큰 눈을 이리 굴리고 저리 굴리며 생각하더니 무릎을 탁 친다.

　「참으로 좋은 길몽입니다. 멸치 대감께선 뼈대 있는 가문이 아니십니까?」

　「그렇지, 뼈대하면 우리 멸치가문이지. 등골뼈가 44개 볼기뼈가 46개 모두 백 개의 뼈가 있으니, 어디 나보다 뼈대 많은 작자 있거든 나와 보라구 그래!」

「예, 맞습니다. 바로 용꿈입니다. 곧 용이 되어 하늘에 오르실 것입니다. 꿈에 하늘로 올라갔다 내려갔다 하는 것은 용이 아니고는 할 수 없는 일이 아니겠습니까? 그리고 용이 조화를 부리면 눈비가 오고, 날씨가 추웠다 더웠다 하는 것은 당연한 이치 아니겠습니까?」

그 말을 들은 멸치는 입이 함박만하게 벌어져, 망둥이에게 거듭거듭 술잔을 따르니, 망둥이를 데리고 온 가자미는 아까부터 목이 말라, 이때나 술 한 잔 얻어 마실까 저때나 얻어 마실까 기다리다가 망둥이의 달콤한 말에 정신 없는 멸치가 그만 미워지고 말았다. 참다 못한 가자미는 고함을 지르며 말했다.

「이 쓸개 빠진 멸치 대감아! 그 말이 정말인 줄 아느냐? 내 해몽을 들어 봐라. 하늘로 올라갔다 내려갔다 한 것은 낚시 바늘에 걸렸으니 그럴게고, 저녁 반찬에 쓰려고 석쇠에 올려 놓으니 연기와 김이 무럭무럭 날 것이며, 짭짜름하게 간을 맞추려면 허연 소금을 뿌려야 하니, 눈이 펑펑 쏟아질 건 당연한 것이 아니더냐! 잘 익으라고 부채질 하니, 더웠다 추웠다 할 것은 더욱 뻔한 일이다. 이놈아.」

그 말에 기겁을 한 멸치는, 열 받치어 소리 지르다 눈알이 튀어 나왔고, 망둥이는 헤엄칠 사이도 없이 펄떡펄떡 뛰어 도망갔는데 지금도 그때 놀란 가슴으로 망둥이는 뛰고 있으며, 가자미는 눈을 옆으로 꼬고 앉았다가 아직도 제자리에 안 돌아가 눈이 옆에 붙어 있다 한다.

뒤에 있던 메기는 망둥이의 발에 밟히어 머리가 납작해졌으며, 문어는 저도 눈이 옆으로 돌아갈까봐 빨리 눈을 떼어 엉덩이에 붙였고, 병어는 무슨 변을 당할지 몰라 입을 틀어 막다가 주둥이가 그 모양이 되었다 한다.

뼈대 있는 멸치 한 마리 때문에 황해 바다 물고기들이 모두 병신이 되었다니, 혹시 내가 황해 바다의 멸치는 아닌가 생각케 한다.

합창단 나들이

거리마다 길마다 지하철을 놓겠다고 땅을 파헤쳐, 사람과 차들이 이리 몰리고 저리 몰린다. 여덟 시 출발이라 토굴에서 삼십 분 전에 나왔는데도 차가 밀려 여덟 시 반에 도착했다. 미안하다고 생각했으나 모인 사람은 절반도 안 되었다.

코리언 타임보다 더 믿을 수 없는 것이 불자 타임이란, 어느 신문 기자의 농담이 생각났지만, 불교인들이 시간을 안 지키는 부정적인 부분보다 난 불교인의 여유와 자비 쪽으로 변명과 점수를 주고 싶다.

곳곳마다 파헤쳐진 지하철 공사 덕에 아홉 시에 출발하게 되었다. 초조하게 기다리던 모습들도 어느새 싸—악 가시고, 함께 부르는 찬불가는 가릉빙가 범음인 양 차를 더욱 춤추게 하고, 창 밖에는 보슬보슬 내리는 꽃비가 봄을 더욱 재촉한다. 길가에는 비에 젖어 한껏 몸매를 자랑하는 개나리·진달래·목련이 흐드러지고, 산에는 짙푸른 물안개가 도원경을 연출한다.

쳇바퀴 같은 일상에 묻어날 수밖에 없는 공허와 외로움이 있기에, 나들이는 더욱 기쁜 충격이 되리라. 인생은 역시 슬픔과 고뇌가 있기에 즐거움이라는 것이 더욱 빛나게 되는 것임을 실감해 본다. 엄마,

아내, 며느리, 친구 등등 그 역할들을 빛내기 위해서도 부처님을 찬양하고 세상을 찬양하는 일련의 몸짓들이 필요하리라. 사랑하는 이들 뿐만 아니라 나를 미워하는 사람마저, 이런 분위기라면 찬양할 수 있지 않겠는가?

그런데 추풍령에 다달으니, 보슬비들이 하얀 눈송이 되어 환상의 세계를 자아낸다. 송이송이 날아드는 눈꽃들은 온 산의 봄꽃들을 환호케 하고, 애들처럼 눈 받으며 깡총깡총 뛰는 보살들의 가슴에도 삼천 년만에 한 번 핀다는 우담바라 꽃들이 송이송이 맺히니 분명 우리들을 축복하는 부처님의 가피리라!

아름답고 선녀 같은 저 모습 어느 곳에, 이브의 사악함이 숨어 있을까? 웅녀의 혼, 춘향이의 지조, 신사임당의 덕성과 논개의 정열도 숨어 있겠지……!

추풍령을 쉬어 넘으며 이어지는 차 안의 찬불가!

「윤회의 고해에서 피안 언덕에 이르니 어두웠던 나의 마음 한 순간에 밝아지고 평등한 성품 속엔 너와 내가 따로 없네. 대자재 인간 존엄 바로 이것인 것을 열반의 대합창이 온누리에 가득하네…….」

화락천을 방불케 한다. 충청도 논산 땅에 들어서니 눈발이 거치고 따사로운 햇볕이 눈부시다. 햇볕 사이로 논두렁의 파아란 풀들이 유난히 싱그럽고 흙냄새 더욱 정겹다. 차창에 스며드는 바람마저 다사로운 것 같으니, 역시 중도 사람인 모양이다. 고향, 어린 뼈가 자라고, 꿈과 낭만과 슬픔 그리고 고독이 자란 곳, 물장구 치고 다슬기 잡던 샛강! 조깃배 들랑이고 닷새만에 서는 장터에는 써커스 천막도 함께 세워지며, 딴따라를 구경하러 다리 밑에 모이던 악동 친구 몇 명이 써커스 천막 뒷쪽 개구멍을 뚫다 지키는 아저씨에게 목덜미 잡혀 나오던 그 시절! 이맘때쯤이면 아지랑이 속에 밭도랑 논두렁 사이사이 나물 캐던 처녀들……!

마이크 소리에 깜짝 놀라 깨어 나니, 총무가 마이크를 잡고, 「이곳이 우리 스승님 자란 곳이니 창 밖을 잘 둘러보라고」하며 스님 감회를 한 말씀 해달라는 부탁을 한다.

「강바닥 수심이 얕아지고, 폭 또한 좁아져서 이젠 배도 못 들어 오고, 물이 썩어 악취가 나니, 조개와 물고기가 살 수 없는 형편이 되었다. 다시 이 강산을 살리는 방법은 없겠는가? 우리 모두 자연의 일부분이니, 나를 살리듯 강을 살리고 땅을 살리자」는 중 같은 소리로 답을 했지만, 고향땅 위를 구르는 기분은 설명할 수 없는 감회였었다.

부여를 지날 때는 의자왕의 삼천궁녀가 백제의 멸망과 함께 낙화되어, 백마강에 떨어진 낙화암 이야기와 그 옆에 고란잎 전설이 담겨진 고란사 이야기를 듣고는 눈물을 찔끔거리던 단원들! 스님이 고란사에서 겪었던 진땀 흘린 얘기를 듣고는 배꼽들을 쥐고 웃어 폭소의 도가니가 되기도 했었다.

내가 고란사에 잠깐 머물 때 이야기는 이러하다. 대중스님들은 다 출타하시고 혼자 절을 지키고 있는데, 신도들이 들이닥쳐 불공을 해달란다. 그때만 해도 걸망 짊어지고 이 절 저 절 만행을 하며 주인공을 찾는답시고 경책 한 권 보지 않던 때였으니, 불공 한 번 한 일 없고 천수경조차 제대로 외워 본 일 없는 형편이었다.

그렇다고 참선하는 중이라, 불공을 못 한다고 얘기하자니 그것도 좀 그렇고, 「에라 모르겠다」하며 「부처님 전에 공양물 올려 놓고 마음속에 있는 말하면 되는 거지!」하며 생각했다.

대충 공양물을 진수하고, 목탁과 요령을 들고 앉으니, 눈앞이 캄캄하고 등허리에는 구슬땀이 흘렀다. 정구업 진언을 몇 번 외우다가 더 아는 게 없었으니.

「뒤에 있는 사람들 잘되게 해주쇼! 뒷사람들 잘되게 해주쇼! 뒷사람 잘되게 해주쇼! 뒷사람 잘되게 뒷사람……뒷사람……잘……잘…….」

우물쭈물 지껄이면 그들이 중의 염불을 알아듣겠는가 하는 배짱이 생겼다. 뒷사람 잘되게 해달라고 간절히 빌다 보니 얼마의 시간이 흘렀는지? 목탁채가 손가락을 치는 바람에 정신을 차리고 슬그머니 시간을 보니 두 시간 반이 흘렀다. 뒷사람 잘되게 해달라는 내 염불에 내가 도취되어(삼매에 빠져) 시간 가는 줄을 몰랐으니, 진짜 염불을 하게 된 것이다.

뒤에 앉아 있던 처사님(남자 신도)이 일어나서 삼배를 올리며 하는 말에, 불단 밑으로라도 기어 들어가고 싶었다.

「스님! 제가 대처승입니다. 중노릇 삼십여 년을 넘게 했지만, 스님 같이 지극 정성으로 염불하며 불공 삼매에 빠지시는 분은 처음 뵈었습니다. 저희 식구들이 복이 있어 난생 처음 불공다운 불공을 한 것 같습니다. 그런데 그 불공 주문(呪文)이 무슨 주문입니까?」

진지한 그의 표정에 속일 수가 없어, 「뒷사람 잘되게 해주십쇼!」 라는 주문이라고 이실직고하였다. 그러자 그는 또 한 번 절을 한다.

「스님은 반드시 큰스님되실 겁니다. 꼭 다시 만날 인연이 있길 기원하겠습니다.」

형식보다 내용을 중요하게 알았던 그 대처스님에게, 지금도 부끄럼과 고마움의 정을 보내며 진땀 흘린 추억으로 기억하고 있다.

만수산 무량사! 생육신의 한 분인 김시습이 출가 득도하여 공부를 하셨던 곳. 일곱 살에 시문을 지어 왕을 놀라게 하였던 신동. 삼각산 중흥사에서 공부를 하던 도중, 세조의 찬탈을 듣고 책을 태워 버리고 머리 깎고 승려되어 방랑의 길을 떠난 매월당 설잠 스님! 최초의 한문소설 금오신화를 짓고, 평생 절개를 지켜 생육신의 한 분으로 추앙받는 스님의 영정이 모셔진 무량사를 돌아 대천 대승사로 갔다.

일본인들이 대승사에 계신 지장보살님을 일본절로 모셨으나 대승사 쪽을 향해 자꾸만 쓰러지시는 이변이 일어나, 결국 다시 지장보살님을 대승사로 모시게 된 지장도량. 거룩한 노래 공양을 올리고 주지스님의 극진한 대접과 배웅 속에 길을 떴던 합창단의 하루.

부처님을 찬양하듯 나 자신을 찬양하고, 나 자신을 찬양하듯 밉던 곱던 나와 인연 닿는 모든 이를 위해 찬양할 수 있는 합창단원들이 되길 빌며 하루의 나들이를 회향하였다.

항아리 속의 미녀

거울이 없던 시대의 이야기다. 예쁜 색시를 얻어 행복하게 살고 있는 젊은이가 있었다. 어느 날 색시에게 「우리 함께 한 잔 합시다. 부엌에 가서 포도주를 좀 떠오시오」.

색시는 기분이 좋아 부지런히 부엌으로 달려가 술항아리를 열고 술을 뜨려 하는데, 이게 어찌된 일인가? 항아리 속에는 예쁜 미인이 자기를 바라보고 있지 아니한가? 색시는 기겁을 하고 달려와서 남편에게 따지고 덤비는 것이었다.

남편은 기가 찼다.

「내가 독 안에 여인을 감춰 두다니 기막힌 노릇이다. 가보기나 하자.」

부엌으로 가서 술항아리를 들여다본 신랑 역시 기겁을 하고 만다.

항아리 속에는 잘 생긴 사내가 자신을 올려다보는 것이 아닌가? 두 젊은 부부는 욕을 섞어 가며 대판 싸움이 하였으니, 시아버지 시어머니까지 나올 수밖에. 자초지종을 들은 시어머니, 「그럼 내가 가보지!」 하며 술항아리를 들여다본다. 그러자 시어머니, 다짜고짜 뛰어나오며, 시아버지 멱살을 잡고 흔들며, 「이놈의 영감이 나 말고 다른 여편네를 감춰 두었다」며 강짜를 하는 것이다. 기막힌 시아버지 역시 부엌으로 가서 보니, 이 또한 사건이라!

네 식구가 이렇게 계속 아귀다툼을 하고 있었는데, 이때 길을 가던 지혜로운 사람이 그들을 말리면서 이렇게 말하는 것이다.

「내가 저 술항아리에 들어 있는 사람들을 나오게 할 터이니 가만히 보십시오.」

그리고는 큰 돌로 항아리를 친다. 빠알간 포도주가 부엌 바닥을 흥건히 적실 뿐 사람의 그림자도 없었다. 자신들의 그림자와 싸우는 우리들, 한 번쯤 생각해 볼 이야기가 아닌가?

바보님들의 계산

바보 · I

어느 마을에 바보가 살았다. 그는 나무를 해다 숯을 구워서 연명을 하는데, 계산 하나는 끝내 주게 하는 바보였다. 장작을 열 개 구우면 숯이 열 개 나올 테고, 열 개를 팔면 열흘 먹을 쌀이 나올 터이니, 열흘은 꼼짝 않고 놀아도 되었다.

부지런히 일하는 이웃들을 보며 너희들이 아무리 열심히 노력을 해도 열흘 동안에 먹는 밥은 나하고 똑같은데, 어찌 그리도 힘들게 일을 하는지 정말 어리석은 바보들이라고 생각했다.

하루는 이 바보가 장터를 나갔다가 먹음직스런 떡을 보고, 사먹기로 작정을 하는데 떡이 색색가지였다. 빨강, 노랑, 파랑……보라 등 떡 하나에 한 푼이란다. 그런데 주머니에는 일곱 푼밖엔 없었다. 바보는 또 계산을 한다. 저 떡 중에 어떤 것을 먹으면 제일 맛있고 배가 부를까?

빠알간 떡을 먹었다. 맛있기는 한데 배가 안 불렀다. 다음은 노랑 떡을 먹었다. 역시 맛은 있으나 배부르지가 않았다. 파랑 떡, 주황 떡,

244

마지막 일곱 개째의 보라색 떡을 먹으니, 배가 불렀는데 맛은 제일 없는 것 같았다.

바보는 「에이 속상해! 제일 맛있는 빨강 떡과 제일 배부른 보라색 떡을 집었으면, 맛있고 배부르게 먹고 다섯 푼의 돈이 절약이 됐을 텐데」하고 말하는 것이었다.

바보 · 2

어느 마을에 미련하고 어리석은 사람이 살고 있었다. 한 달 뒤에 잔치를 치르게 되는데, 제일 좋은 우유를 대접하기 위해 준비를 하게 되었다. 그런데 많은 손님을 대접하자니 많은 우유를 짜야 하겠고, 또 한 달 동안 잘 저장을 해야 하니 귀찮고 번거롭기도 하여, 꾀를 내게 되었다.

우유를 짜려면 인건비도 들고 또 짜서 보관할려면 그 역시 돈이 들고 신선한 맛도 가실 터이니 젖소 뱃속에다 그냥 저장하면, 모든 수고도 덜 것이고 또 신선한 우유도 대접할 것이라고 생각했다. 그래서 그는 소 젖꼭지들을 모두 고무줄로 묶어 버렸다.

잔칫날 젖을 짜기 위해 고무줄을 풀었으나, 젖은 모두 말라 버리고 없었다. 쌓아 두고 모아 두다 결국 돈 한 푼 못 쓰고, 좋은 일 한 번 못하고 가는 불쌍한 우리들!

한 번쯤은 생각해 볼 이야기다.

바보 · 3

조금 모자란 총각이 친구집에 초대를 받아 갔다. 그런데 음식맛이 영, 입에 맞지 않아 친구에게 맛이 좀 이상하다 하니, 친구가 맛을 보며 「아, 간이 안 맞군!」하더니 하얀 가루를 갔다가 골고루 뿌린 다음 먹어 보라 하는데, 음식맛이 기가 막히게 좋았다.

모자란 총각의 생각에 저 가루만 있으면, 평생을 맛있는 음식만 먹고 살다 가겠구나 생각하여, 돌아올 때 듬뿍 얻어 가지고 오게 된다.

　집에 와서 밥에도, 국에도, 반찬에도, 듬뿍듬뿍 하얀 가루를 뿌렸으나 맛은 더 없었다.

　이상하다! 분명 조금만 뿌려도 맛있는 가루인데 많이 뿌리는 데도 맛이 없는 이유가 무엇일까?

　그 친구가 엉터리 가루를 준 것이 아닌가 의심하며, 계속계속 허연 가루를 뿌리고 있다 하니…….

대통령의 할아버지

개와 고양이가 통할까? 고양이와 새가 통할까? 새와 사람은? 사람과 사람끼리는?

엄마 탯줄 넘어 영혼의 소리는 하나의 소리[一音]기에 모두 통한다고 한다. 어려운 말을 빌리지 않더라도, 진실되지 못한 것은 사람과 사람끼리도 통하지 않는다. 참으로 진실된 마음은 소리 없이도 통하여 이심전심을 이룬다.

그럼 진실된 마음은 어떤 마음일까? 사랑하는 마음, 믿는 마음, 자비로운 마음, 여러 가지 표현이 있으리라. 불교의 표현을 빌린다면 깨달은 마음, 부처의 마음이라 표현한다. 부처의 마음은 또 뭐냐고 묻는다면, 부처님 흉내를 내서, 조용히 꽃 한 송이를 들어 보일 것이다. 바로 이론의 한계를 이야기하는 것이며, 믿음의 세계 깨침의 세계를 들어 보인 것이리라!

모순과 조화를 초월한 또 하나의 조화로운 세계! 그 조화의 세계를 확실히 믿는 깨침의 세계가 믿음의 세계라면, 어려운 말이 될까? 이 믿음의 세계가 열리면, 전생·금생·내생의 문이 열리고, 너와 나의 인과관계, 개와 고양이 그리고 모든 것과의 관계, 풀잎 하나 구르는 돌 한 조각, 모두 나와 무관함이 없는 인연 관계임을 알게 되니, 자연스런 자비와 사랑 그리고 더불어 사는 지혜가 나오게 된다. 나도 살고 너도 살고 우주도 해도 달도 별도 모두 함께 사는 세계가 열림이다.

이 순간은 종교와 이념 등 인간의 분석적 알음알이를 내려 놓고, 역사 속에 현존했던, 그것도 아주 가까이 숨쉬었던 윤보선 대통령의 할아버지 윤웅열 대감의 환생기를 들어보며, 속된 시간을 넘어 성스러운 시간 여행을 해보았으면 한다.

윤대감은 1840년 생으로 조선시대 무신이며, 본관은 해평, 아산 출신으로 1856년 무과에 급제하고 남양부사 등을 지내며, 1880년 김홍집을 따라 일본에 다녀왔고, 형조판서와 군부대신을 지낸 사람이다. 대원군 당시 군부대신을 지내다가 대원군이 중국 귀양길에 오르니, 역시 윤대감도 완도로 귀양을 가게 된다.

무인고도와 다름 없는 작은 섬에서의 나날은 인생의 덧없음을 절감케 하고, 전생에 무슨 죄업을 지었기에 이런 고초를 당하는가 생각하기에 이른다. 이런 저런 생각들로 시름을 달래는데 시종이 달려와서 이른다.

「대감마님, 용한 점쟁이가 있답니다. 답답도 하실테니 심심풀이로 한 번 보시지요?」

「이놈아! 제 점도 못 치는 세상, 남의 점을 어찌 친단 말이냐?」

「대감마님! 제 밑은 못봐도 남의 밑은 볼 수도 안 있겠습니까? 심심풀이로 한 번 가보십시오.」

「이놈아! 아무리 그렇지만 양반 체면에 무당집을 찾아가란 말이냐? 가서 불러 오려므나.」

한참 있다 돌아온 시종이 말했다.

「대감마님! 아직도 대감으로 착각하는 대감마님의 점은 억만금을 줘도 못 보겠답니다.」

「어흠! 그 말도 일리가 있구나. 그래 가보자꾸나.」

점쟁이는 겨우 열여섯의 어린 처녀였는데, 동자귀신이 붙어 남의 운명을 용케 알아 맞춘다는 것이다.

흘낏 대감을 쳐다본 처녀는 말했다.

「대감님, 너무 걱정 마십시오. 앞으로 이 주일만 지나면 모든 것이 잘될 것입니다.」

「아니, 그렇게 빨리?」

대감의 귀가 확 트였지만, 그럴 리가 있겠는가? 위로의 말로 들어 두자 생각하면서도, 신부들을 따라서 일본으로 유학을 간 자식이 궁금했으므로 자식의 소식을 물었다.

「지금 미국에 가 있습니다. 청국 색시하고 약혼하였으니 내년 가을이면 만나 보게 될 겁니다.」

있을 수 없는 일이었다. 일본으로 공부하러 간 사람이, 미국에 갔을 리도 없고, 미국에 있는 사람이 청국 색시와 약혼했을 리는 더욱 없었다.

어린처녀에게 허황된 것을 묻고 듣는 자신이 처량하여,

「그럼 난 전생에 무슨 짓을 했기에 이런 고생을 하나?」

한탄조로 말을 던졌더니, 청산유수로 대답을 한다.

「대감님! 대감마님은 전생에 석왕사에서 「해파」라는 스님으로 승려 노릇을 하였습니다. 그때 형님되시는 분도 함께 스님노릇을 하였는데, 형님되시는 분은 스님노릇을 잘못하여 지금은 강원도 홍천에서 이경운이란 이름으로 주막거리에서 술장사 노릇을 하고 있는데, 두 손이 모두 조막손이 되어 있습니다.

그러나 대감은 수행을 잘하신 과보로, 중국에서 재상노릇을 하시다가 우리나라에 태어나 복을 누리시는 겁니다. 고생도 잠깐이니 참으십시오. 수행 잘하신 공덕으로 자손들도 모두 창성하고 부귀영화할 것입니다.」

「그렇다면 석왕사에 가보면 내 전생 일을 알겠구나.」

「아다마답니까! 대감마님 전신인 해파 스님 사리탑까지 세워져 있습니다.」

꿈 같은 이야기였지만, 막연한 기대 속에 시간들이 흘러갔다. 그런데 이것이 웬일인가? 십사 일만에 귀양이 풀린다는 해배문서가 날아들었던 것이다.

한양에 올라와 일들을 처리하다 보니 세월이 흘러 일 년이 지났다. 그해 가을 홍콩에서 전보가 왔는데, 아들이 결혼식을 올리니 참석해 달라는 내용이었다. 내외는 결혼식에 참석하고 자식 내외와 함께 서울로 돌아와, 제일 먼저 석왕사를 찾게 된다. 1903년 대감의 행차에, 석왕사의 주지 설화 스님을 비롯하여 대중들이 깜짝 놀란다. 생각지도 않은 높으신 분이 한양에서 내려왔으니.

「어인 일이신지요?」

「내집에 내가 오는데 이유가 있겠습니까?」

주지스님에게 자초지종을 이야기하고, 자신이 수행했던 곳을 일일이 둘러보며 감회에 잠기었다.

자신의 전신인 해파 스님의 사리탑도 찾고, 금 수백 냥을 내려 석왕사를 중건케 하고 돌아왔다.

그리고는 바로 유대력이라는 사람을 시켜, 강원도 홍천에 가서 전생에 형님이었던 이경운을 찾아오게 한다.

버선발로 맞이하며, 손을 잡고 형님이라 부르는 높은 대감의 속마음을 알 리 없는 조막손 이경운은 그저 벌벌 떨기만 할 뿐이었다.

「형님 나를 모르시겠습니까? 전생에 주지스님까지 하신 분이 그렇게도 깜깜하십니까?」

윤대감은 이경운에게 자신과의 전생 인연을 자세히 설명해 주고, 강원부사 이경영에게 명을 내려, 전생의 형님인 이경운을 편안히 모시도록 시킨다.

「형님 부디 염불 많이 하십시오. 그 공덕으로 다음 생에서 또다시 만나 함께 수행하는 형제가 됩시다.」

윤대감은 다시 완도로 향해 간다. 한 마디도 틀리지 않은 그 영특한 처녀무당을 만나 인사도 하고, 삼 년 동안 고생했던 유배지를 자식들에게도 보여 줄 겸해서였다. 처녀무당에게 소원을 물었다. 무엇이든 원하는 것을 들어 주겠다 하니, 한 가지 소원이 있는데, 그것은 자기에게 붙은 동자귀신을 떼어 주는 일이란다.

동자귀신이 있어야 영험한 무당 노릇을 할 것이 아니냐는 질문에,

「남의 운명을 점쳐 준들 그것이 저에게 무슨 의미가 있겠습니까? 나이가 십팔 세가 넘었는데도, 자신을 자신 마음대로 못하고 동자귀신이 하라는 대로 해야 하니, 죽는 것보다 괴롭고 부끄럽습니다」라고 대답한다.

「그럼 어떻게 해야 하느냐?」

「예, 덕 높으신 스님을 모셔 사십구 일 천도제와 백 일 동안의 지장기도를 올려 주면, 동자귀신이 떨어질 것 같습니다. 그러나 반드시 지장보살님 가피를 입으신 도력 있으신 스님이셔야 합니다.」

「오냐! 내 너를 위해 무엇을 못하겠느냐.」

결국 처녀무당은 귀신을 떼고 윤대감이 마련해 준 집(전 은석국민학교 뒷터)에서 일생을 마치게 된다.

소설 같은 얘기지만 현실이요 사실이니, 윤회의 흐름 속에서 윤회를 믿으려고도 알려고도 하지 않는 미미한 중생들이, 마음의 문을 열고 나를 미워하는 사람이 전생에 나를 사랑하던 사람이요, 옆집 삽살개가 전생 내 부모요, 흐르는 물은 전전전 수백 생의 내 피요, 산과 들은 수천 생의 내 살과 뼈라는 사실들을 믿어 봤으면…….

남이장군의 삼생담

남이는 이조 세종 때의 무신이며, 무과에 급제하여 우대장으로 이시애란을 평정하고 이십팔 세 때 병조판서를 지낸 사람이다.

이조 역사상 가장 어린 나이로 판서를 지냈으며 문무에 뛰어 났던 그였으나, 많은 살생을 한 인과로 자신도 유자광의 모함에 주살을 당하고 만다.

그런데 남이는 날 때부터 글을 알고 전생을 아는 신동으로 알려졌었다.

남이의 전생담을 들어보며, 코앞밖에는 볼 줄 모르고 현실만을 생각하는데 길들여진 우리들의 사고 작용을 넓히는데 도움이 되었으면 한다.

남이의 전전생(前前生)은 전라도 영광 지방의 글 읽는 선비로 성은 송씨였다 한다.

잠잘 때도 손에 책을 놓지 않는 그를, 책에 미친 송서방이라 불렀으나, 사십이 넘도록 과거에 급제하지 못하니 집안 살림은 말이 아니었고, 아내가 남의 집 삯바느질과 품팔이로 끼니를 이어 갔다.

그래도 이제나 저제나 과거에 급제하기를 기다리는 아내는 정성껏 뒷바라지를 했다.

어느 날도 일 년 동안 품팔이와 삯바느질로 모은 나락들을 마당에 널어 놓고 품을 팔러 가며, 혹시 비가 올지 모르니 빗낱이 던지거든 나락들을 거둬 달라 부탁을 하고 간다.

아닌게 아니라 얼마 안 있어 소낙비가 쏟아지는데, 마당에 널어 놓았던 벼들은 순식간에 또랑으로 씻겨 내려가고 말끔하게 되었는데도, 송서방은 그저 글만 읽고 있었다.

바느질 품을 팔면서도 억수 같은 소낙비에, 마당의 나락이 어찌 되지 않았을까 쫄밋쫄밋 마음 조리다가, 일을 마치고 집에 와 보니 나락이 한 톨도 없는지라 안심을 하고, 송서방에게 나락을 어디다 치웠느냐 물었다.

그러자 송서방은 이렇게 대답했다.

「무슨 나락을? 나락이 어디 있는데?」

참으로 기가 찬 노릇이었다.

「저런 인간을 서방이라고 믿고 사는 내가 미친년이다. 무슨 희망을 안고 살 것인가! 떠나자.」

결국 송서방의 아낙은 떠나고 말았다. 그것도 모른 송서방은 그저 책만 읽고 있었으며, 저녁이 되어도 아침이 되어도, 아내도 먹을 것도 보이지 않았으나 그 생각도 잠깐이고 책에서 눈을 떼지 않았으니, 창자가 마르고 오장육부가 말라 굶어 죽고 말았다.

인간은 죽었어도 죽은 줄 모르기에 깨닫지 못하면, 하루에도 만 번 죽고 만 번 사는 것이다.

얼마 있자니 동리 사람들이 모여 들어 불쌍한 송서방이 죽었다고 음식을 푸짐하게 차려 놓고 평소 좋아하던 찹쌀떡을 올려놓는데, 정신 없이 먹다 보니 바싹 마른 자기 몸뚱이를 새끼줄로 꽁꽁 묶어 남산에 가져다 묻고 자기가 보던 책도 다들 나누어 갖는데, 별로 서운한 생각도 없고, 찹쌀떡이나 한 번 더 먹었으면 하는 생각뿐이었다.

찾아오는 사람도 없고, 어슬렁 어슬렁 장터로 나가는데, 김이 무럭 무럭 나는 찹쌀떡이 또 눈에 띄었다. 외상으로 몇 개만 먹자고 얘기 하는데도 못들은 척한다. 「애라! 먹고 보자」하며 실컷 먹고, 다음에 갚겠다고 인사를 하였으나, 역시 모르는 것 같았다. 여기 저기 다니 며 먹고 싶은 걸 먹었지만 상관하는 사람이 없었다.

이상하다 생각하면서도, 아내 생각이 나서 처가가 있는 충청도 땅 을 향해 길을 떴다. 어느 만큼 가다 보니 잔치집이 있었다. 출출하기 도 하여 들러 보았더니, 회갑연을 하는데 진수성찬들이 차려져 있었 다. 먹어도 시비하는 사람이 없다는 것을 경험한 송서방은, 먹고 싶 은 대로 실컷 먹고, 고방에 가서 잘 익은 밀주까지 한 바가지를 마시 다 보니 취기가 올라, 어느 방엔가로 들어가 잠을 자게 됐다. 쏴—아 하는 소리에 눈을 뜨고 둘러보니, 웬 예쁜 처녀가 얇은 속옷만 걸치 고 요강에 쉬를 하는 것이 눈에 들어왔다.

풍만한 몸매와 허연 엉덩이가 송서방의 빠진 넋을 또 빼놓고 말았 으니, 바로 곁에 누워 다시 새근새근 잠을 자는 처녀를 바라보며 어 쩔 줄을 모르다가, 「이것도 인연인데, 말이라도 걸어 보자」라고 생각 하며 처녀를 흔들어 깨웠다.

눈을 뜬 처녀는 그만, 꽥! 소리를 지르며 벌러덩 까무러치고 마니, 제풀에 놀란 송서방은 방귀통이에 숨어, 가쁜 숨을 몰아 쉴 뿐이었 다. 옆방에 자던 부모들이 뛰어와 까무러친 딸을 깨우는데, 깨어난 처녀는 구석의 송서방을 보고 또 기절하고 만다. 문 밖으로 도망치고 싶었으나 그녀의 모습에 마음이 끌려 도저히 몸이 말을 듣지 않았다.

다른 사람의 눈에는 송서방이 보이지 않으나 송서방 귀신의 애착 이 붙은 처녀의 눈에는 송서방이 보이는 것이었으니, 무당불러 굿을 하고 별짓을 다하였으나 백약이 무익하였다.

하루는 스님 세 분이 오셔서 경을 읽으시는데, 송서방의 불안스럽 던 마음들이 편안해지며 자신의 처신이 부끄러워지고 글줄께나 읽고 수양을 쌓았다는 선비가 할 짓이 아님을 깨닫게 되니, 부끄럽기 한이 없었다.

　스님들께서 김서방, 박서방, 나중에는 송서방 하고 부르시며 「애착을 끊어라! 무엇을 애착하고 무엇을 회한한단 말이냐? 아무것도 애착할 것이 없느니라. 너는 이미 세상인연 다하여서 죽음에 이르렀으니, 그동안 살았던 인생살이 한 판 꿈이었음을 깨달아라. 너는 이미 이승 사람이 아님을 깨달아라. 너를 버티던 뼈대는 한 줌 흙으로 돌아갔고, 너를 움직이던 기운도 한 가닥 바람으로 돌아갔으며, 네 가슴 오르내리던 피와 물은 한 줌 물기로 돌아갔고, 네 가슴 따뜻이 데우던 온기 역시 화기로 돌아갔다. 부디 미망과 애착에서 벗어나서 네 갈곳으로 가거라. 무릇 모양 있는 모든 것은 언젠가는 부서지고 마는 헛된 모양이다. 그 모양이 영원하지 않은 이치를 알면 스스로 자유로워지리라!」

　스님의 간절하신 법문에 자신이 죽었다는 사실을 깨달은 송서방은 그 집을 나와 정처없이 길을 떴다. 멀리 경기도 여주 땅에 도착을 했는데 또 그놈의 떡 생각이 난다. 마침 어데선가 떡냄새가 바람에 실려와 따라가 보니, 젊은 아낙이 장독대에 시루떡을 올려 놓고 두 손 모아 빌고 있었다.

　「칠성님! 그저 사내자식 하나만 점지해 주십시오. 그러면 애지중지 잘 키워 나라의 동량이 되게 하고 이 집 가문을 잇게 하겠습니다, 칠성님!」

　가만히 듣고 보니 이곳저곳 돌아다니는 것도 지쳤고, 한곳에 정착하려면 이곳이 나을 거라는 생각이 들어, 이 집에 태어나기로 마음을 굳히고, 「자비한 여인이여! 내 그대 자식 노릇을 하리다」라고 합장을 하고 두 내외 자는 품안으로 들게 되었다.

　그로부터 아낙은 태기가 있어 열 달만에 떡두꺼비 같은 아들을 낳는다. 나면서부터 울음이 크고 이목구비가 또렷하여 귀염을 받게 된다. 그런데 이 아이가 세 살 되던 해 봄이었다. 아버지가 문지방에다 입춘대길이라는 부적을 써서 붙이는데, 누워 있던 아이(송서방)가 보니 자주 대하던 글이라 「입춘대길이로다」 하고 큰 소리를 내어 읽으니 아버지가 기겁을 하며 〈이거 큰일이군. 왕자와 같은 시기에 태어난 자가 천재이면 왕손을 꺾고 역적이 된다 하여 삼족을 멸한다는데 ……〉라고 생각하게 되었다.

그리고는 어머니와 뭐라고 귓속말을 하더니 옆에 있던 큰 멧돌과 다다미 돌을 가슴에 올려 놓고, 이불을 뒤집어씌우니 아이는 그만 죽고 만다.

아이(송서방)는 다시 정처없이 길을 뜨며 생각하기를, 이왕에 인도환생할 거라면 아버지가 대신장부인 큰 대가집에 태어나리라. 그리고 아는 체 한 것이 병이니 절대 아는 척도 하지 말며 말도 않는 벙어리가 되리라 결심을 하고 한양으로 올라간다.

이 집 저 집 기웃거리다, 자식 점지해 달라고 떡해 놓고 비는 의선군 휘의 집에 탁태하게 된다. 의선군 댁에선 옥동자를 보게 되니 경사가 났는데, 문제는 아이가 울지를 않는 것이다.

. 이목이 훤출하고 기골이 강건하여 아무 이상이 없건만, 아이가 일곱 살이 되도록 말을 못하니 식구들의 걱정이 태산 같았다.

그런데 하루는 의선군이 친구들과 모여 시회(詩會)를 하는데 글이 막혀, 잠깐 필묵을 놓고 바람을 쏘이러 나간 사이, 아버지 시문을 그럴듯하게 써놓고 시치미를 떼었다. 바람 쏘이고 들어온 의선군은 깜짝 놀란다.

막히어 이어지지 않던 시가 명문이 되어 있지 아니한가! 친구들이 돌아간 뒤 식구들을 불러 누가 했는지를 물었으나, 아무도 모른다며 그 방에는 남이밖에 들어간 일이 없다는 것이었다. 노려보는 아버지의 눈길에 벌벌 떨며, 전생에도 아는 척하다 죽게 됐는데 이번에도 또 아는 체하다 죽는가 보구나, 생각하고 이실직고를 하게 된다.

남이는 전생 송서방 시대부터 지금까지 걸어온 길을 남김 없이 얘기하기에 이른다.

아버지에게 용서받은 남이는, 총명을 발휘하여 십칠 세에 무과에 급제하고, 젊은 나이로 일등공신 의산군에 봉해지며 병조판서에 이르나, 이십팔 세의 짧은 나이로 참수를 당한다.

일설에는 전쟁터로 출정하는 날 아침에 군대 앞을 젊은 여인이 지나갔다 해서 그 여인의 목을 쳐 죽이니, 그 혼이 원귀되어 남이를 죽게 했다고 전해진다.

백 사람에게 은혜를 베풀려 하지 말고, 한 사람과 원수지지 말라는 선현의 말씀을 되새겨 보며, 어제를 생각하듯 과거를 생각해 보며, 과거를 생각하듯 전생을 한 번쯤 생각해 보는 마음을 가져야 할 것이다.

내일을 생각하듯 미래를 설계해 보고 미래를 생각하듯 내생을 상상해 보는 사고의 여행, 틀에 갇힌 세상에서 상상의 나래를 한 번쯤 활짝 피워 삼생을 꿰뚫은 대 자유인들이 되어 봤으면 한다.

배달민족

홍익인간(弘益人間)의 큰 뜻이 단군 할아버지의 맥을 통하여 우리
의 핏줄 속에 녹아 흐르고, 자비와 인의예지(仁義禮智)를 알고 살았
던 배달민족! 그리고 순백색을 좋아해서 흰 옷을 즐겨 입었던 백의
민족!

이 민족은 남의 나라를 침범한 일이 없고 싸움을 좋아하지 않았다
는 역사를 읽으며 약소민족이 별수 있었겠느냐는 식의 불만이 있었
으나, 여러 나라를 여행하며 역사와 민족의 특성을 살필 연륜이 생기
다 보니, 진정 우리 민족은 어느 민족보다 따뜻한 정과 순박한 의리
와 불의에 굴복하지 않는 자존의 힘을 지닌 민족임을 알게 되었고 배
달의 자손임을 자랑스러이 여기게 되었다.

지금은 비록 사회를 계도하는 계층의 문제성과 만연된 물질문명,
서양식 사고의 오염 등으로 제자리를 찾지 못하는 실정이지만, 반드
시 머지 않아 배달민족의 정기가 통일을 이루고 온 세상을 평화스럽
게 하는 데 크나큰 기여를 하리라 생각해 본다.

세상을 돌아다니며 느낀 것 중에 (내가 승려이기 때문인지) 민족주
의나 공산주의·민주주의 등의 사상과 이념이라는 벽보다는 종교의

벽이 엄청나게 높고 크다는 것을 절감하게 되었다. 인간이 꼭 헐어야 할 벽이 있다면 그것은 종교의 벽이라고 감히 말하고 싶으며, 영원히 헐 수 없는 벽이라면 조화롭게 다시 쌓아야 할 것 같다.

아무리 한 손에 칼, 한 손에 코란을 들고 목숨과 믿음 중 하나를 택하라 한들 세상 사람이 다 회교인이 될 수는 없고, 믿지 않으면 멸망한다고 아무리 겁을 주고, 십자군보다 몇 만 배 강한 군사를 일으켜도 기독교 천국이 되지는 않을 것이다. 자비 무적의 가르침을 내세운다 한들 불교 천국이 될 리는 없는 것이다.

인간이 각자의 모습을 지니듯 각자의 종교 속에 서로를 긍정하고 인정하는 올바른 신앙관이 정립될 수 있다면, 인간들은 좀더 행복해질 수 있지 않을까?

종교인의 눈이라 그런지 세상은 정치가 지배하는 것 같으면서도 실은 종교가 지배하며, 종교가 제자릴 찾지 못하는 말세적 현상 속에서 부분적으로, 인간들을 병들어 가게 하는데 한 몫을 하고 있다면 망발일까?

종교인들이 지심으로 자각하여 너도 나도 함께 성숙할 수 있는, 그리하여 서로가 서로를, 민족이 민족을, 종교가 종교를, 문화가 문화를 인정하여, 서로 보완되는 삶을 살아 가도록 해야 하지 않을까?

한 개인의 삶이 고작해야 칠팔십인 것을 세상을 이끌어 가는 이들 수명 또한 매 한가지인데, 영원히 살 것인 양 욕심을 부려 세상을 불타도록 만들고 있으니 이땅의 뒤에 올 후손들을 위해, 아니 우리가 다시 올지 모르는 이땅을 위하여 빈 마음으로 삶을 회향할 수는 없을까?

우리 배달민족! 자비와 지혜로 살아 왔던 백의민족! 우리들만이라도 각성하여 따뜻하고 여유 있는 본래의 모습으로 돌아갈 수 없을까?

단군할아버지의 자손이라면, 배달민족의 아들 딸들이라면, 예수도 마호메트도 공자도 석가도 잠시 내려놓고.

홍익인간! 인간들끼리 크게 이롭게 하는 일, 그것이 무엇인가를 함께 생각해 보는 시간이 되었으면 한다.

모두가 시를 쓰는 사회가 되었으면

시를 사랑하는 사회! 참으로 마음에 꼬옥 드는 말이다.

시심(詩心)이 불심(佛心)이라 하였으니, 시를 사랑하는 사회는 깨달은 마음, 성숙된 마음을 사랑하는 사회가 아닌가.

우리의 삶은 모순 덩어리이다. 모순의 삶을 조화롭게 살 수 있는 방법이 있다면, 그것은 열린 마음(佛心)을 지니는 일일 것이다.

조화로운 삶! 열린 세계, 깨달음의 세계, 서로가 서로를 믿고, 서로가 서로를 사랑하며, 서로 긍정하고 이해하는 사회, 이것이 바로 시를 사랑하는 사회가 아니겠는가.

시 하면 떠오르는 어렸을 적 추억이 있다. 국민학교 오학년 때쯤으로 기억된다. 독서의 달이라 책을 많이 읽자는 표어를 학교에서 공모하게 됐고, 전혀 생각지도 않은 행운을 얻어 상장과 공책을 타게 되었다. 바로 이어서 동시 공모도 있었다. 표어 공모에도 당선됐으니, 동시도 당선될 것이라는 친구들의 부추김에 동시의 동자도 모르면서 응모를 하게 된다.

작품을 보시던 선생님은 웃으시면서 말씀하셨다.

「이놈아 이건 시가 아니라 서당 훈장이 학동들에게 훈계하는 글이다. 시를 좀 읽어 보고 시를 써라, 이놈아!」

그때 부끄러웠던 심정은 책상 밑으로라도 기어 들고 싶었다. 제대로 다 기억할 수는 없으나, 「사람들이 왜 하얀 학(鶴)만 사랑하고 까만 까마귀는 사랑하지 않는가? 우리 까마귀도 좀 사랑해 주자」라는 내용이었을 것이다.

교무실에 계셨던 선생님들이 다함께 웃으시며, 「고놈 시는 못 써도 마음 씀씀이는 잘 쓰는군」하시던 말씀들이 아직 생생하다.

그 뒤로 나는 시를 읽기는 커녕 그때의 부끄러웠던 장면을 두 번 다시 떠올리지 않기 위해 무진 애를 썼고, 시라는 글자가 붙은 책만 봐도 몸이 떨릴 정도였다.

대학입시 때문에 몇 편의 시를 읽었지, 승려가 된 뒤에도 시집 한 권 사 보지 못한 바보였음을 고백한다.

그러나 돌이켜 생각하면 시를 거부하는 마음 뒷켠에, 시를 사랑했던 마음 또한 크게 자라고 있었음을 부인할 수 없을 것 같다.

불교문화원을 개원하고 제일 먼저 개설했던 것이 시인 교실이었으며, 가나다 교실·한문 교실·꽃꽂이 교실·서예 교실·등공예 교실과 함께 활발한 활동을 하며, 많은 시인을 배출하는 문학상도 제정하여 연례 행사로 치르고 있다.

작년 오월에 시집(《나의 사랑, 나의 방황, 나의 종교》① ②) 두 권을 냈고, 금년 사월에 두 권의 시집을 〈문학세계사〉에서 냈다.

이 시집들을 내는 데도 찬반 양론이 분분하여 또 한 번 시 알레르기 증상을 감수해야 했다. 나이가 더 든 뒤 문집이나 법어집을 내야지 체면에 금이 갈 수도 있는 책을 출간해서는 안 된다는 신도들과, 스님은 한 중생이라도 더 부처님께 인도해야 하는데 체면과 위신보다는 책을 내서 부처님 말씀을 더 널리 펴게 하자는 신도들! 결국 출간하는 쪽으로 결정이 났지만 내 마음도 후자였음을 밝히고 싶다.

알고 보면 부처님 말씀이 모두 다 시 아닌 것이 없다. 깨달음의 표현이요 울림인 진언이나 다라니, 그리고 팔만사천의 경문 모두가 노래요 시인 것이다. 제자들에게 언제나 게송(偈頌)으로 말씀하셨는데, 이 게송(偈頌)이라는 것이 시(偈)와 노래(頌)인 것이다. 범어와 파리어로 불려진 부처님의 시들을 다른 나라 말로 알기 쉽게 풀이하다 보니 긴 설명문이 되었지만 모두가 시였음을 밝혀 두고 싶다.

시심이 불심이라! 닦아서 열린 마음 그대로가 하얀 시의 세계임에 틀림없다. 승려들이 바로 이 시심, 즉 불심의 세계를 공부하는 것이다.

시집의 시(詩)자만 보아도 도망했던, 시집 한 권 제대로 읽어 보지 못한 주제에 네 다섯 권의 시집을 낼 수 있었던 것도 이십여 년(불교 공부) 바로 부처님의 시세계를 공부했기 때문이리라.

있는 대로 밝힌다면, 작년에 낸 시집과 금년에 내는 시, 그리고 가지고 있는 두어 권 분량의 시들이, 모두 작년 두서너 달의 기도 기간 중에 씌어진 것들이다. 시를 쓴다고 쓴 것이 아니라 법열을 이기지 못해 너울너울 춤을 추며 불렀던 노래이다.

나보다 외롭게, 힘들게 사는 사람들에게 부처님의 시 세계를 들려주고 싶어 가장 쉬운 말로 쉬운 노래로 불렀던 노래들을 그대로 적은 것들이 시가 된 것이다.

시 한 편을 쓰기 위해 몇 년을 갈고 다듬는 시인들의 눈에는 어떻게 비칠지 모르지만, 시를 다듬는 것은 글자를 다듬는 것이 아니라 (마음을) 삶을 다듬는 것이기에, 이 승려의 노래가 시라고 불려지는 것이리라. 아름다운 시를 쓰고 싶다, 아름다운 삶을 살고 싶다는 말이다. 열린 시를 쓰고 싶다, 열린 마음을 지니고 싶다는 말이다. 감히 부처님과 같은 시를 쓰고 싶다. (나와 같은) 나보다 여리고 어린 사람들에게 부처님의 시를 쉽게 들려 주고 싶다.

요사이 시가 너무 난발되고 있다는 우려의 소리를 들은 일이 있다. 그러나 내 수준에서 말한다면 시가 넘쳐 나는 세상이면 좋겠다. 청소부도 시를 읽고 시를 쓰며, 대통령도 운전사도 의사도 감방의 죄수도 모두 시를 읽고 쓰는 세상이면 좋겠다. 그래서 진정 시를 사랑하는 사회가 오면, 서로가 서로를 밟아야 하는 모순에서 벗어나 조화의 세계가 열릴 것이며, 서로가 서로를 아끼는 사회가 될 것이다. 모두가 곱고 따뜻한 가슴을 지니게 될 것이다.

이 글이 읽힐 때쯤이면, 더 따뜻한 가슴, 하얀 시의 세계를 지니기 위해 먼 기도여행에 올라 있을 것이다. 어느 산자락 따뜻한 볕이 드는 작은 토굴에 부처님의 시 세계를 이해하려고, 이해하려는 생각마저 놓아 버린 마음으로 앉아 있을 것이다.

시(말씀 언〈言〉 절 사〈寺〉, 절의 말, 부처의 말, 깨달음의 말)를 사랑하는 사회가 되길 기원하며…….

부처님께 반기를 든 제파달다

불법에 오(五) 바라이 죄라는 것이 있다. 다섯 가지 중에 한 가지만이라도 범하면 용서받지 못한다는 무거운 죄를 말한다. 「첫째 아버지를 죽인 죄, 둘째 어머니를 죽인 죄, 셋째 부처님 발에 피를 낸 죄, 넷째 화합을 깬 죄, 다섯째 삼보(불, 법, 승)를 비방한 죄.」

이 무거운 죄를 범해 가며 석가 부처님께 반기를 든 사람이 있으니, 부처님의 사촌이요, 아란존자의 친형인 「제파달다」였다. 부처님의 용서와 자비로운 덕에도 끝까지 마음을 돌리지 못하고 산 채로 지옥에 떨어진 제파! 정해진 업은 면하기 어렵다는 한탄을 하시면서, 제파의 배반을 가슴 아파하셨던 석가 부처님!

처음에는 제파도 수행을 잘하여 신망이 두터웠으나, 권세욕이 강한 그 나라 왕자 「아사세」 태자와 결탁하게 된다. 즉, 태자는 아버지인 「빔바사라」 왕을 죽이고, 제파는 석가 부처를 죽이기로 공모를 하게 된다.

이것을 안 「빔바사라」 왕은 무상을 느끼고 왕위를 아들 「아사세」에게 물려주나, 왕위를 승계한 아들은 아버지를 죽이고, 제파의 청을 들어 부처님을 죽이려 한다. 몇 번의 시도를 했으나 부처님을 죽이려던 사람들은 모두 부처님께 귀의하게 되고, 미친 코끼리들을 풀어놓아 부처님을 해하려 하나 코끼리들마저 무릎 꿇고 귀의하게 된다.

이에 부처님의 제자들이 제파를 응징할 것을 권하였지만, 부처님은 조용히 타이르신다. 「원한은 원한을 부른다. 원한을 원한으로 갚는 것은 불법이 아니니라. 모두 전생 전생 숙생을 내려오며 지은 정업 때문이니라!」

결국 제파는 오백 명의 신참 수행자들을 이끌고 독립교단을 만들었으나, 부처님의 뛰어난 제자들인 목련과 사리불의 설득으로 제파를 따라간 제자들이 다시 돌아오게 된다. 제파의 뒤를 밀어주던 「아사세」 왕마저 참회하고 부처님께 귀의하니, 제파의 교단은 무너지고 죽음에 이르게 되었다.

권세욕에 눈이 어두워 수행자의 본분도, 혈육의 정도, 스승 제자의 인연마저도 버리고, 바라이 죄를 범한 제파달다! 웬지 그가 안스러워짐은 무슨 마음일까?

다문제일 아란존자

　아란!

　부처님을 정성 다해 이십여성상을 시봉했던 부처님의 사촌동생이기도 한 아란! 한 번 들으면 결코 잊어버리지를 않아 부처님이 돌아가신 후, 들은 바를 빠짐없이 암송하여 경전 결집(結集)을 이뤄 내는 데 주역을 했던 다문제일 아란존자!

　다정다감하고 용모 또한 뛰어나서 여인들의 흠모 속에 곤욕을 치르기도 했던, 구시나가라 사라쌍수 아래 입멸을 기다리시는 부처님을 바라보며 오열했던 아란!

　「아란아, 슬퍼마라! 내 가르침을 잊었느냐? 만났던 사람은 필히 헤어지기 마련이고, 생자(生者)는 반드시 멸하기 마련이다.」

　「부처님이시여! 부처님이 돌아가시고 나면 누구를 의지해야 하옵니까?」

　「아란아! 내가 간 뒤 법과 계율을 스승으로 삼아라! 법을 등불로 삼고, 자신을 등불로 삼아라!(法燈明 自燈明 法歸依 自歸依)」

　오로지 부처님만 믿고 의지하던 아란에게는 부처님의 입멸은 슬픔이고 혼란일 수밖에 없었다. 부처님이 돌아가시는 그림인 열반도에서도 가장 슬퍼우는 사람이 바로 아란존자이다.

결국 부처님 생존시에 아란은 아라한과 (성자의 지위)를 얻지 못했고, 그로 인하여 제일차 경전결집 때에 참석의 자격을 놓고 논란이 벌어지게 되었다.

부처님은 병에 따라 약을 주듯, 사람의 근기에 따라 가르침을 주셨기에 부처님 입멸 후, 자기가 들은 법이 옳다고 제각기 주장을 하는 문제가 발생하게 된다.

그 문제를 해결하기 위해 오백 명의 아라한이, 마하가섭을 상수로 부처님 말씀을 정리하게 되는데, 이것을 「경전 제일 결집」이라 부르며, 왕사성 칠엽굴에 모였기 때문에, 「칠엽굴 결집」 혹은 「오백 결집」이라고도 부른다.

경전 결집이라지만 종이에 적는 것이 아니라, 한 사람이 들은 바를 암송하면, 다른 사람들이 그 진위를 판단해서 함께 외우는 식의 암송 결집이었다.

계율을 암송하고 정리할 책임자는 지계제일인 우바리로 결정됐으나, 경전을 정리할 사람이 문제였다. 당연히 다문제일 아란이 정리 책임자가 돼야 했지만, 아란은 그때까지도 깨달음(아라한과)을 얻지 못하여 참석이 허락되지 않았던 것이다. 아란은 커다란 수모와 책임을 느끼게 되고, 밤낮을 가리지 않고 용맹정진하여 결집 전날 아라한과를 얻게 되어 경전 결집에 중요한 역할을 하게 된다.

부처님을 가장 가까이 모시며 다문제일이란 칭호를 받았던 아란이 이런 수모 아닌 수모를 겪어야 했던 것은, 자기 수행보다는 부처님 위덕에 너무 의지를 했고 부처님을 일상적으로 따르며 가르침을 암기하였을 뿐 커다란 가르침을 자기 것으로 승화시키지 못한 데 그 원인이 있는 것이었다. 늦게나마 그는 그 이치를 깨닫고 자신과의 목숨을 건 대결에서 결국 승리하고 대해탈의 경지에 들어 후세를 사는 우리들에게 영원한 선물을 안겨 주게 되었다.

아란이여! 「여시아문 일시불(如是我聞 一時佛). 저는 부처님께 이

268

와 같이 들었습니다」 하는 그대의 목소리가 아직도 이 사바에 메아
리 치고 있음을 듣고 있소!

무위도인(無爲道人)과 무위도식인(無爲徒食人)

　석가는 탄생하시자마자 「천상천하 유아독존」이라고 인간 존엄을
선포하셨고, 부처가 된 뒤에도 「인간들에게는 부처와 똑같은 덕상이
고루 갖추어져 있다」고 말씀하셨다.

　번뇌 망상이 그대로 깨달음이요, 탐내고 성내고 어리석음 그대로
가 계율이요 선정이고 지혜이며, 중생과 부처가 둘이 아니라고, 부처
님을 비롯한 선각자들은 입을 모아 말씀하셨다. 번뇌 · 망상 · 갈등 ·
애욕 그대로의 일상이 도행(道行)이라 하셨으니, 정리하여 보면 우
리는 태어날 때부터 갈고 닦을 것 없는 부처 그대로임에 틀림없다.

　그러나 더 분명한 것은 얼음도 녹아야 마실 물이 되고 쇠도 달궈야
연장이 되듯 갈고 닦는 노력없이는 중생은 그대로 중생일 수밖에 없
다는 사실이다. 설산의 육 년 고행없이 어찌 싯다르타 태자가 부처님
이 될 수 있었겠는가.

　무위도인(無爲道人)이란 더 배울 것이 없고 더 노력할 것이 없는
사람을 일컬음이니, 이미 얼음에 열(노력)을 가해 물(道)을 얻은 사
람, 쇠를 달구어(노력) 연장(道)을 만든 사람인데, 아무 노력없이 사
는 사람(無爲徒食人)과 혼돈을 하는 경우가 있다.

요사이는 무위도인 대신 무위도식인이 절에도 많아 큰 문제가 되고 있다 한다. 아니, 절뿐만 아니라 사회에도 무위도식인이 날로 늘어간다 하니 걱정이다. 부처님 분상에서야 무위도인이든 무위도식인이든 다같은 자식들이겠으나, 우리의 입장에선 중생계에 살고 있는 중생임을 먼저 알아야 하지 않겠는가!

　「絶學 無爲 閑道人은 不除妄想 不求眞」이라. 더 배울 것도 없고 더 노력할 것도 없는 한가한 도인은, 망상도 버리려 하지 않고 진리도 구하지 않느니라! 이런 경지의 무위도인과 제 몸 하나 추스리지 못하는 무위도식인을 혼돈하는 수행자 집단이나, 사회가 되어서는 아니 될 것이다.

　살인 방화를 한 자는 그 과보가 지나면 구제받지만, 노력하지 않는 자는 구제받을 수 없다는 선현의 말을 다시 한번 새겨 본다.

가장 천한 신분의 성자

인도에는 이조시대 반상제도와 마찬가지인 카스트라는 사종(四種)의 계급제도가 있어서, 수드라(천민)의 손과 발이 허락없이 바라문(성직자)이나 크샤트리야(왕족)의 몸에 닿으면 그 손발을 잘라 버리는 무서운 신분제도가 있었다. 부처님은 왕족이었으며 그의 제자들도 거의가 왕족이나 바라문인 상류계급의 사람들이었다.

부처님이 깨달음을 얻으시고 고향에 돌아오시자, 많은 왕족들이 그의 위덕에 감복하여 귀의하게 된다. 그중에 아나율을 비롯한 일곱 왕자들도 함께 출가를 하게 되는데, 이때 왕자들의 머리를 깎았던 이발사 우바리가 자신도 부처님의 제자가 되고 싶었으나 신분이 천한지라 망설이고 망설이다 부처님께 천민도 출가할 수 있는가를 묻게 된다. 이때 부처님은 말씀하셨다.

「오라 우바리여! 수천의 강물이 바다에 들어 하나가 되듯, 모든 중생은 깨달음의 큰 바다에 들어 하나가 되나니, 신분의 고하가 있을 수 없느니라!」

우바리는 천민으로서는 처음으로 부처님의 제자가 된다. 일곱 왕자들이 부모님께 하직 인사를 하고 돌아와 불교 교단에 정식 입문한 것은 이발사 우바리보다 일 주일이 늦은 뒤였다.

출가한 사문들은 교단의 장로와 선배들에게 차례로 인사를 올리는 규칙에 따라, 일곱 왕자도 제일 어른인 교진여를 비롯 먼저 출가한 사형들에게 차례로 절을 하며 인사를 하는데 맨나중에 그만 멈춰서고 말았다. 자신들의 종이며 이발사인 우바리가 가사를 두르고 의젓하게 앉아 있는 것이 아닌가! 망설이는 왕자들, 아니 신참 출가자들에게 부처님은 준엄한 명을 내리신다. 우바리의 발에 입을 맞추고 경배할 것을.

참으로 그때 인도 사회에서는 있을 수 없는 일이 벌어진 것이다. 부처님의 명령은 인간 존엄과 평등을 알리는 대해탈의 사자후였던 것이다.

「나는 너의 그림자이며, 너 또한 나의 그림자이다. 우리는 모두 한 몸이며 한 기운이다. 너와 내가 없는 열반의 세계에 귀천이 어디 있단 말이냐.」

준엄하면서도 부드러운 부처님의 가르침은 모두를 법의 희열로 이끌었고, 기쁜 마음으로 서로 경배를 하게 된다.

그 후 이발사 우바리는 누구보다도 열심히 수행하고 계율을 잘 지키며 모든 이의 모범이 되었음은 물론, 부처님께 지계제일(持戒第一) 우바리라는 칭호를 받는다. 또한 제일차 경전 결집 때 계율을 책임지는 중요한 역할을 했으며, 부처님의 십대 제자 중 우뚝한 분으로 기억되고 있다. 불법의 평등성과 인간 존엄성을 잘 보여 준 역사적 사실로 가슴 뜨겁게 느껴진다.

종파 창립의 갈등

강산이 두어 번 바뀌는 동안 변함없이 이 길을 걸어 올 수 있었던 것은, 전생에 지어 놓은 작은 복력과 부처님의 가피임을 믿어 의심치 않는다.

그러나 견디기 어려웠던 고통들을 감내할 수 있었던 좀더 직접적인 이유 중 하나를 꼽는다면, 새로운 종파 창립(새로운 불교)의 꿈이 있었음을 고백한다.

승부 없는 자신과의 싸움! 무지막지한 신도들에 대한 끊임없는 애정 확립 등, 감당하기 어려웠던 부분들을 가슴으로 끌어안고 지금껏 몸부림할 수 있었던 직접적이고 인간적인 버팀목이 바로 「이 시대에 맞는 이 나라 불교 창출」이었다. 그것을 종파 창립이라고 불러도 좋겠지만, 그 원(願)을 키우며 살아 왔다.

이러한 생각은, 승려가 되고 난 후 오랜 시간 뒤의 일이 아니다. 입산 초기에 느끼고 지녔던 생각이었음도 이야기하고 싶다.

어린 승려가 입산하자마자 왜, 종파창립이란 원을 지니게 되었을까? 부처님 법이 좋아 불경에 미쳐 모순과 갈등을 초월한 또 하나의 조화로운 세계에 매료되어 승려가 되었지만, 가르침과는 달리 법을

274

배워 가는 사람들의 집단 속에서 겪어야 했던 실망스런 혼란과 갈등은, 부처님의 법마저도 의심하고 원망하는 최악의 경우를 맞이하게 된다. 그것을 커 가는 과정이요 오도의 길에 필수적으로 겪어야 하는 껍질 벗는 아픔의 일환이라 표현한다면 이야기는 되겠으나, 사회를 계도하고 아픈 중생들을 어루만져야 할 집단이 잉여인간의 집합소 정도로 착각되는 아니, 그 이하로 비치는 입산 초기의 혼란을 어떻게 설명할 수 있을까?

어린 승려의 눈으로 보고 느끼고 겪었던 숱한 회의와 갈등의 이야기들을 상세히 적어 후학들에게 남기고 싶지만, 어줍잖은 글들이 벼룩 잡으려다 초가삼간 태우는 우를 범할까 두려워서 자제하기로 한다.

그동안 여러 사찰의 주지자리 싸움에 끼여들도록 권유와 유혹이 있었지만 단 한 번도 아니 꿈에도 고려해 보지 않았던 것은, 입산 초기에 세웠던 원이 있었기 때문이다. 그로 인하여 치뤄야 했던 따돌림과 불이익은 아직도 계속되고 있으나, 오히려 그러한 것들이 나를 키우고, 내 원을 성숙시켜 가는 데 커다란 힘으로 작용하고 있으니, 외롭지만 외롭지 않은 삶을 살고 있다.

이제껏 불교는 가는 곳마다 그 나라 그 민족의 토속적 신앙과 조화되어, 그 나라 종교로 꽃피워졌고 그곳의 독특한 문화를 형성하여 왔다.

티벳으로 들어간 불교는 라마 밀교의 아름다운 꽃을, 중국에선 선불교의 풍성한 열매를 맺었으며, 우리나라에 들어온 불교는 신라 천 년 아니, 영원한 우리 민족 문화의 얼을 형성하였다. 일본에 건너간 불교는 가장 부지런하고 예의바른 문화를 창출하여 세상에서 으뜸가는 부의 나라를 만들었으니, 더 무슨 설명이 필요하겠는가!

이제는 서양 유럽 그 어느 나라에서도, 불교를 모르면 식자 행세를 못 하는 형편임을 모두가 아는 사실이건만, 이 승려가 입산하여 보았던 불교는 중생을 제도하고 사회를 계도해 나가는 대중 불교도 아니요, 철저히 계율을 지키며 수행하는 계율 불교도 아니었다.

은둔 생활에 맞게 짜여진 산속 불교, 전문인만을 위한 어려운 불교, 복을 빌러 오는 이들이 모이는 기복 불교의 장소 제공처로 보였던 것이다.

부처님의 중생제도의 거룩한 뜻과 원이 산속이란 감옥과, 한문이란 족쇄와, 선불교가 잘못 남긴 변형된 박물관의 박제 역할을 하고 있었다면, 지나친 표현이 될까?

중생제도의 큰 원과 성숙하려는 치열한 구도정신의 소유자들은 보이지 않고, 무위도인(無爲道人)이 아닌 무위도식인(無爲徒食人)과 갈 곳 없는 잉여인간들로 채워지는 당시의 현실을 보며, 새로운 불교를 생각하고 종파 창립의 원을 세웠던 것은 건방지지만 어쩔 수 없는 승화의 결론이었으리라!

절에 오는 신도들마저도 구도정신에 입각한 자기 성숙의 몸부림은 접어 두고, 줍쇼 줍쇼 하는 거러지 정신이 쌓여 오늘의 불자 모습을 만들고 말았다.

한 평생을 길거리에서 중생들을 보살피시다 길에서 돌아가신 부처님의 가르침은 온데간데 없고, 산속에서 방석만 지키고 앉아 알아 들을 수 없는 말을 하는 분들이 오히려 부처의 부처가 되는 묘한 불교와 함께 이 나라 불교는 작금의 상태를 맞이하였다.

그러나 부처님의 거룩한 가르침에 끌리어 입산한 어린 승려의 눈에 그 모습들이 어떻게 비춰졌을까?

「이게 아닌데! 이것이 아닌데」라는 회의와 갈등 속에, 새로운 불교, 아니 본래 부처님의 불교를 다시 일으켜야겠다는 생각이 들었음은 아마 이 승려의 생각만이 아니었으리라.

스승과 제자는 영혼의 아버지와 자식이요, 사형제는 영혼의 수족이라는 생각이 꿈 같은 꿈이었음을 깨달으면서, 승복을 벗지 않았음도 부처님의 가피였지만, 종파 창립(새로운 불교운동)의 꿈이 있었기 때문이리라.

법사다 건당이다 뭐다 하며 스승 갈아 치우기를 밥먹듯 하는 풍토
가 싫어, 부처님께 직접 계를 받겠다고 고집한 그때의 어린 생각이
나에겐 아직도 지켜지고 있다.

부처님 입장에서야 잘나고 못난 것이 어디 있으며, 교육받은 자식
이나 못 받은 자식이나 다 사랑스런 자식이겠지만, 모든 불보살님이
나 큰 스님들이 원을 세우고 교육이란 수행을 통해 불보살이 되셨듯
이 땅에 불교가 살아남는 길이 있다면 그것은 교육과 수행을 통한 인
재양성일 것이므로 머리를 깨고 뼈를 갈아서라도 깨달아 실천해야
하지 않겠는가!

승려들의 재교육과 구도정신을 함양할 수 있는 교육장치와 그런
분위기들을 만들어 가야 함도 꼭 밝혀 두고 싶다.

이 오족잖은 승려가 입산하여 어린 눈으로 느낀 것이 이러한 것들
이기에 새로운 불교, 종파 창립을 원으로 삼고 살았음을 장님 코끼리
만지는 어리석음과 우치에서 나오는 건방짐이라고만 얘기할 수 있을
까?

어찌됐던 이 승려는 「새로운 불교」, 이 시대에 맞는 불교, 이 나라
에 필요한 불교를 모색하며 살아 왔다. 이 시대에 맞는 신앙! 이 시
대에 필요한 승려의 상을 찾기 위해 온갖 몸부림을 다해 왔다.

그러던 중에 어머님의 죽음으로 지장경의 세계를 접하게 되고, 이
신앙이 이 시대에 선양되어야 할 신앙체계임을 확신하게 된다.

주쇼 주쇼 하는 여타 신앙의 타성에서 벗어나 추위 떠는 이웃을 위
해 속옷까지 벗어 줄 수 있는 신앙!

고통받는 지옥중생과 육도의 모든 중생이 단 한 명이라도 성불하
지 못하는 한 당신도 결코 성불하지 않겠다는 지장보살의 대원력에
감동되어 몇 날 밤을 감격과 눈물로 지내는 인연을 만난다.

그 이후 십수 년!

지장신앙의 선양과 지장신앙 체계를 세우는 데 모든 정성을 다하
고 있다. 지장기도 속에 얻어진 글들을 책자로 엮고, 세계에 흩어진

지장신앙의 자료들을 수집·정리하며, 미국의 뉴욕과 버지니아 등 인도네시아·일본 여타국에 포교당과 지장선양회 모임을 만들며, 내 꿈[願]의 기틀들을 차곡차곡 다져 왔다.

일본이나 대만, 중국과는 달리 우리나라에선 명부전의 어른으로만 알던 지장보살님이 제대로 인식되어 가는 시절인연이 도래하였음도 기쁜 일이다.

그런데 나는 또 하나의 커다란 갈등의 벽에 부딪치고 만다. 앞에서 밝혔듯이, 지금까지 자신의 신앙과 수행을 게을리하지 않을 수 있었던 것도 「이 시대에 필요한 불교」 종파 창립의 꿈이 있었기 때문이었는데, 외국 포교를 하다 보니 제일 큰 문제로 부각되는 것이 종파 문제였기 때문이다.

인도네시아 경우를 들더라도 천여 년만에 한국의 절이 처음 생겼다 하여, 모든 종파를 초월해서 모여드는 교민들에게 대한불교 조계종 공덕원 지장도량이라는 법통이 갈등과 분열의 요인이 되었다. 네 종교 내 종교, 네 종파 내 종파, 네 문중 내 문중…….

더 나아가선 부처님 법을 전한다는 행위조차 인간들을 분열시키고, 사이 좋은 사람들을 갈라놓는 못할 짓을 하는 것 같은 회의에 빠지게 되었다.

신앙이란 조용한 실천이지 이런 글로 시비를 논하지 않는 것임을 알지만, 나와 같이 갈등하는 후배들에게 조금이라도 도움이 됐으면 하는 마음에서 이 글을 쓴다.

이제는 전술한 회의와 갈등에서 벗어나 있다. 어차피 인생살이는 모순이다. 모순을 조화롭게 하려는 것조차 모순이지만, 그러나 분명한 것은 모순과 조화를 초월한 진정한 조화의 세계가 바로 「깨침의 자비」 속에 있음을 믿어 의심치 않게 되었다.

어떤 종파나 어떤 종교를 전하든 전하는 마음속에 「인간 성숙과 사랑, 그리고 화합」을 기원하는 진실이 담겨 있다면 모든 문제는 해결된다는 확신도 얻었다. 종파나 종교가 문제되는 것이 아니라 닦아

깨치어서 행하는 것이 문제일 것이다.

　부지런히 닦고 닦아 작은 어항을 깨고 세계가 내 집이며 우주가 내 뜰인 대자유인이 함께 되길 합장하여 본다.

이씨조선과 속명사

이성계가 위화도 회군 후 최영과 정몽주 등 반대 세력을 제압하고 역성혁명을 일으켜 왕위에 오른다.

그러나 명 나라의 속국이나 다름없는 나라가 명 나라의 승인을 받지 못하니 애가 탈 노릇이었다. 나라를 승인해 주고 고려가 아닌, 다른 이름의 국호를 내려 주십사 사신을 보냈으나 보내는 사신마다 목이 떨어져 돌아오니, 예나 지금이나 힘없는 나라의 비애일 수밖에 없었던 듯싶다.

마지막엔 이성계의 측근이요 명 나라 황제와 동문 수학한 조 대감을 보내게 된다. 나라를 위한 일이지만 죽으러 가는 길이고 보니 권속들을 불러 뒷일을 부탁하는 조대감의 가슴은 울적하고 답답하기만 했고, 식솔들은 모두가 울고 불고 야단들이었다. 그러나 조 대감의 어머니만은 평상시의 모습을 조금도 흐트러뜨리지 않고, 아들을 불러 앉힌다.

「너는 부처님께 빌어서 얻은 자식이다. 결코 비명객사하지 않으리라! 그리고 죽더라도 사내 대장부답게 죽어라!」하시며, 당신의 목에 걸었던 백팔염주를 조 대감의 손에 쥐어 준다.

「하늘이 무너져도 솟아날 구멍이 있느니라! 이 염주를 절대로 놓지 말고 부처님을 생각하라. 반드시 가피가 있으리라!」

숭유억불 정책을 내세웠던 유학자 조 대감이었지만, 어머님의 자애로운 사랑과 지푸라기라도 잡고픈 심정에 염주를 꼬옥 쥐고, 부처님을 부르며 최선을 다할 수 있는 용기와 지혜를 주십사 기원했다.

드디어 죽음의 여행은 시작되었고 걸음걸음 밟히는 그의 심정은 외롭고 고뇌스러웠다. 여행은 계속되어 중국으로 건너가려는 배를 타려고 황해도 서흥에 머무르게 된다.

가을바람 소슬이 불고, 두고 온 처자식과 식솔들. 애간장 타는 가슴을 달랠 길 없어, 어머니가 주신 염주를 꺼내 들고 부처님을 부르다 새벽녘이 되어 그대로 책상 위에 엎드려 잠이 들었는데, 불보살님 세 분이 나타나서 「네 조상들의 음덕이 갸륵하고 네가 간절히 우리들을 불러 나타났으니 시키는 대로 하면 공덕이 있으리라. 뒤에 보이는 산에 산사태가 있어 우리 셋이 지금 흙 속에 묻혀 있으니 꺼내 주길 바란다」라고 말하는 것이다.

깜짝 놀라 깨어 보니 꿈이었다. 바로 서흥 현감을 불러 물어 봤더니, 오래 전에 뒷산이 무너져 절과 부처님이 매몰됐다는 이야기다. 현감에게 경비를 주며, 꼭 복원할 것을 명하고 길을 뜬다.

장안에 들어가 황제를 배알하고 국호와 나라를 인정해 줄 것을 간청하였으나 역성혁명은 용서받을 수 없으니 비록 동문수학한 글동무지만, 삿되어 국법을 어길 수 없다며 참수를 명한다.

청룡도를 휘두르는 망나니의 춤에 혼은 반쯤 빠졌지만, 어머니의 모습과 부처님께 의지하는 마음이 여유를 갖게 했다. 내려치는 청룡도에 조 대감의 머리가 싹둑 베어질 수밖에.

그런데 이것이 무슨 조화일까? 베어져야 할 머리는 멀쩡하고, 육중한 청룡도가 댕강 부러지고 말았으니. 망나니는 더 단단한 칼을 휘두르며 있는 힘을 다해 다른 쪽 목을 후려치나 그 청룡도 역시 부러지고 만다. 화가 난 망나니 더 크고 단단한 칼을 휘두르다 조대감 뒷

목을 내려치니 아, 이것이 어쩐 일인가? 청룡도는 가루가 되고 마니
…….

이 사실을 들은 황제는 모두 다 인연이로다! 나 역시 글동무인 그
대를 죽이고 싶지 않았으나, 공은 공이고 사는 사이기에 눈물을 머금
고 그대를 죽게 하였건만 이렇게 살았으니 하늘의 뜻이로다(그때에
는 세 번 죽여도 살아 남는 사람은 살려 주는 관습이 있었다).

조 대감은 조선이라는 국호와 나라의 인준을 받아 가지고 돌아오
게 된다.

그는 다시 황해도 서흥에 도착했는데, 그날이 바로 뒷산에 매몰됐
던 부처님을 모셔 내고 사찰을 복원하여 부처님을 다시 봉안하는 봉
안식이 있는 날이었다.

조대감은 기꺼이 참석하여 부처님 몸에 둘러쳐진 광목을 벗기게.
된다. 아! 이게 웬일인가? 조대감이 벗긴 부처님의 목에는 송송이 솟
은 핏방울 자국이 역력하지 아니한가! 양쪽의 두 분 역시, 왼쪽과 뒷
쪽에 핏방울도 영롱한 자국들이 점점이 맺혀 있었다.

조 대감은 그 자리에 통곡을 하며 부처님께 귀의한다. 한양에 돌아
와 이성계에게 자초지종을 이야기하니, 그 절의 부처님은 대감의 명
을 잇게 하고 나라의 이름을 갖게 하였으니 이름을 잇고 나라를 이어
간다는 뜻으로 이을 속(續) 목숨 명(命) 절 사(寺) 속명사(續命寺)라
고 이름하라 명령을 내리게 된다.

황해도 서흥군 서흥면 오운리 오운산에 있는 절이 바로 속명사니,
유학을 숭배하고 불교를 배척했던 이씨 조선 건국의 국호마저 부처
님의 가피였음을 후학들은 아는가?

죽은 소가 세 사람을 죽이다

어떤 농부가 시장에서 암소 한 마리를 사오다가 자신도 목이 마르고 소도 물을 먹일 겸 냇가로 가서 물을 먹는데, 소가 말을 잘 듣지 않자 궁둥이를 걷어차게 되었다.

이 소도 화가 났던지 뒷발로 주인의 낭심을 차서 즉사하게 만든다. 이 소식을 접한 죽은 사람의 아들들은 소를 잡아 갈기갈기 찢어 여러 사람에게 팔아 버린다.

이웃 동리에 사는 사람이 소머리를 사가지고 집으로 가던 도중, 정자나무 가지에다 소머리를 걸어 놓고 그 아래 누워 잠깐 잠이 들었는데, 걸어 놓은 소머리가 떨어져 자는 사람 목에 뿔이 꽂히게 되니, 소리없이 죽고 만다.

동네 사람들이 모여 들고 역시 죽은 이의 아들은, 소머리를 가져다가 가마솥에 넣고 푹푹 삶기 시작했다. 소에 대한 분풀이였겠지만, 아궁이에 장작을 터지도록 쑤셔 놓고, 아내와 밭일을 하러 나갔다 돌아와 보니, 잠재워 놓은 두 살짜리 아들이 안 보였다. 이곳저곳 찾았으나 행방이 묘연했다. 걸음도 못 걷는 어린아이가 멀리 갈 수는 없을 터이고, 집히는 데가 있어 가마솥을 열어 보니 소머리와 함께 그만 삶아지고 있었다. 잠에서 깬 어린아이가 엉금엉금 기어 가서 부엌과 연결된 밀창문을 열고 떨어지다 보니, 걸쳐서 덮어 놓은 나무판자 뚜껑이 뒤집어지며 솥으로 들어가고 만 것이다.

아이의 부모와 동리 사람들은 소 한 마리가 세 사람을 죽였으니, 무슨 곡절이 있으리라 생각하고 삼생(전생, 금생, 내생)의 인과를 훤히 통하여 아는 현자에게 묻게 된다.

현자는 조용히 말을 들려 준다. 우주법계의 생성 변화나, 얽혀 돌아가는 모든 것이 인연에 의한 현상이다. 콩을 심으면 콩이 나고 팥을 심으면 팥이 난다.

나는 새가 기류를 탈 줄 알기에 수만 리를 날고 물고기가 물살을 가를 줄 알기에 몇 천 리를 거슬러 올라가듯이, 인간이 인연의 도리를 안다면은 순리대로 사는 세상이 되겠지만 순리를 모르기에 이번과 같은 일도 일어나게 되는 것이리라.

하루살이는 하루가 전 생애이며 메뚜기는 한철이 모두라고 착각을 하듯, 우리 또한 칠팔십 년이 우리의 전 인생인 줄 착각하나 그렇지가 않다. 암소 한 마리가 세 사람을 죽인, 이 인연도 금생에 일어난 우연의 일이 아닌 것이다.

전전(前前) 수십 생 전에 암소는 주막에서 음식을 파는 노파였고, 죽은 세 사람은 장사를 하고 다니는 장똘뱅이들이었다. 숙박비를 후하게 치르겠다며 몇칠을 묵은 세 사람은, 먹고 마신 값은 고사하고 말 한 마디 없이 그냥 도망치고 만다. 뒤늦게 알고 쫓아 가서 값을 요구했으나, 세 젊은 사람들은 노파를 때려 죽이고 말았다.

노파는 죽어 가며 저주하기를,

「이놈들! 내가 힘이 없어 너희들에게 억울한 죽음을 당하지만, 어느 생엔가 기운 센 축생이 되어서라도 이 원수를 갚겠다」고 악을 쓰며 죽어 갔던 것이다.

그 인연이 금생에 암소와 세 사람으로 태어나, 이런 결과를 가져온 것이다. 모두 내가 지어 내가 받은 일이니 누구를 원망하겠는가!

세상에서 가장 기구한 운명의 여승

    인도에 한 장자의 외동딸이 있었는데 가정도 부유하고 인물도 뛰어났다. 모습이 연꽃과 같이 아름답다 하여 연화색(蓮花色)이라 불렀다. 그녀는 일찍 결혼하여 딸을 하나 낳았는데, 친정아버지가 돌아가시자 두 부부는 홀로된 어머니를 모시고 살게 된다.

    행복하게 서로 사랑하며 살았으나 행복은 불행의 그림자요 불행은 행복의 그림자라는 말처럼, 연화색의 집에도 불행의 그림자가 드리웠으니, 일찍 젊어 홀로된 친정어머니가 그만 연화색의 남편과 눈이 맞아 정을 통하게 된 것이다.

    타이르고 엄포도 놓았으나 막무가내였고, 당연한 일인 양 살게 되니 견딜 수가 없어 딸을 두 사람에게 집어 던지고, 집을 나와 정처없이 흘러 가게 된다. 옷이 찢어지고 발이 부르트고, 반 미치광이가 된 연화색은 밥을 얻어 먹으러 어느 집을 들리게 된다.

    비록 거렁뱅이 모습이었지만 타고난 재색은 감추어지지 않았던지, 그 집 주인의 눈에 띄게 되고 홀아비로 살던 그 집 주인과 살게 되는 인연을 맺는다. 연화색이 들어온 뒤부터 가세가 불어, 연화색은 더욱 사랑을 받게 된다.

그러나 명예와 돈이 생기다 보니 남자의 마음은 또 다른 생각을 하게 된다. 자식도 갖고 싶었고 처첩도 거느리고 싶어졌다. 장사를 하고 돌아오는 길에, 어린 처녀 아이를 첩으로 사오게 되지만, 연화색은 운명이려니 생각하고 딸 같은 첩과 함께 잘 지내게 된다.

어느 날 첩의 머리를 빗겨 주다가 머리에 흉이 있는 것을 보고, 무슨 흉인가 물었다.

「자세히는 알 수 없으나 아버지와 어머니가 싸우다가 나를 던지는 바람에 머리가 깨졌답니다.」

「그럼 어머니 아버지는 누구인고?」

「부끄럽지만 외할머니와 아버지가 눈맞아 살게 되니, 어머니는 집을 나가셨고 잘은 모르지만, 어머니가 연꽃같이 예뻐 연화색이라 불렀답니다.」

「이럴 수가! 이 무슨 운명이란 말이냐? 첫 남편은 어머니에게 빼앗기고 두번째 남편은 딸에게 빼앗겼으니…….」

연화색은 그대로 뛰쳐 나가 미친 듯이 달리고 달리며 발광하다가 나무에 목을 매게 된다.

차라리 업으로 뭉쳐진 몸 덩어리, 목숨을 끊는 것이 복이라 생각했으나, 죽음 역시 마음대로 안 되는 것이 또한 인생살이임을 어쩌랴!

나무를 하던 나뭇꾼에게 발견되어 구출되게 된다.

「여인이여! 죽는다고 인생이 해결될 것 같으면, 죽는 사람이 천지일 것이오. 전생에 진 빚이라면 갚고 갚아야 할 일이지, 죽으면 그 또한 빚이 아니오. 사는 데까지 살며 진 빚을 다 갚고 가시오. 나 역시 삼 년 전에 나뭇꾼 아낙이 싫다며 핏덩이를 놔두고, 도시 사내와 눈맞아 달아난 아낙을 가졌던 사람이오. 함께 의지하며 살다 갑시다.」

동병상련! 인연은 인연을 부르는 것이니, 서로 동정하게 된 두 사람은 또 새로운 남편이 되고 아낙이 된다. 사는 것은 빈곤하였으나 착한 사내의 마음 씀씀이와 남의 자식이지만 무럭무럭 자라는 아이를 바라보며 수 년의 세월이 흘러 간다.

어느덧 아이가 장성하여 신부감을 고르게 되는데, 참한 규수감을 남편이 구했다고 자랑을 하며, 자신과 너무 닮아 좋더라는 말까지 덧붙였다. 나와 닮았다? 나와 닮았다……?

「혹시 그 아이 아버지가 장사꾼이고 그 아이 어머니는 나이가 어리지 않소?」

「옛날에는 모르지만 지금은 장사꾼이 아니라오. 그런데 며느리감 어머니는 당신과 너무 많이 닮았소.」

그녀는 집히는 바가 있었으나, 설마하니, 운명의 장난이 아무리 심하다 한들 그럴 리야 있으랴고 생각했다. 딸의 딸과 아들이 결혼하면 친딸과는 무엇이 된단 말인가?

그럴 리 없다.

고개를 내두르며 잔치 준비를 묵묵히 한다. 얼마 후 며느리감과 상객이 들어오는데, 뒤에 따라온 사람은 자기의 전 남편(두번째)이 아닌가! 가마에서 나오는 처녀는, 딸의 딸! 바로 손녀였으니! 그만 정신없이 집을 뛰쳐 나와 산 아래에 몸을 던지고 만다. 얼마가 지났는지 눈을 떠 보니 거지 움막이고, 옆에는 늙은 거렁뱅이가 빙그시 웃으며, 「당신같이 아름다운 여자가 죽다니 웬말이요, 이것도 인연이며, 내가 살려준 목숨이니 나와 함께 삽시다」라고 말하는 것이었다.

비록 나이는 들었으나 연화색의 자태는 변함없이 아름다웠으니, 그 또한 업이 아닐런가! 그녀는 거지뿐만 아니라 누구든 돈을 내고 몸을 요구하면, 몸을 주는 창녀가 되고 만다. 워낙 뛰어난 용모인지라 그 명성이 장안을 덮을 만큼 유명해졌다.

어느 날도 사내들과 산속에서 화전놀이를 하며 놀고 있는데, 조용히 스님 한 분이 지나가신다. 함께 놀던 사내들이 연화색에게 저 스님을 유혹하면 천 냥을 주겠다고 한다. 스님 앞에 간 연화색은 갖은 교태를 다 부렸으나, 스님은 자상히 미소지으며 이렇게 말하는 것이다.

「여인이여! 여인의 모습이 아무리 아름다워도 몇 십 년을 갈무리 못 하며, 뼈대가 아무리 강건해도 백 년을 버티지 못함을 잘 알지 않은가! 아름다운 눈과 입, 코와 귀 아홉 구멍에선 더러운 물이 흐르고, 살이 썩은 해골에는 구더기가 고이는 것을, 그대 역시 익히 보아 오지 않았던가.」

「스님이시여! 저같이 어리석고 천한 운명의 여인은 어찌 살아야 한단 말입니까?」

「여인이여! 누가 어리석지 않은 자 있으리요. 쇳덩이가 대장간 불구덩이에서 명검이 되어 나오듯, 어리석음을 굴리면 지혜가 되고 천함을 굴리면 귀함이 되며, 악을 굴리면 선함이 되니 마음먹기 달린 것이요. 나를 따라 우리 스승님께 가서 더 큰 가르침을 배우도록 하십시다.」

그 스님은 바로 목련존자였으며, 연화색과 남자들이 함께 따라가 목련존자의 스승인 부처님께 모두 귀의하여 비구·비구니가 되었고, 연화색은 수행을 잘하여 아라한과를 얻게 되고 여인이지만 항상 부처님을 가까이 모실 수 있는 도인(道人)이 되었다.

이상한 국회의원 후보의 공약

나를 뽑아 주면, 제일 먼저 은하수와 지구 사이 고속전철을 놓아 꿈 같은 여행을 시켜 주겠다. 밤하늘의 달도 별도 은하수의 징검다리마저도 까마득히 잊어버린 유권자들에게, 제각각의 별들을 일일이 찾아주겠다.

그리고 또 다른 은하계! 하얗게 뿌려진, 수많은 별들을 골고루 나누어 주고, 아이들에겐 울타리 없는 토끼장과 새집을 짓게 해주겠다. 서울의 벌집동네, 달동네 그리고 지하실에 사는 사람들에겐, 제일 큰 달로 정원을 삼고, 제일 아름다운 별을 안방으로 쓰게 해 주겠다.

엄마 아빠 없는 아이들에겐 엄마 아빠도 만들어 주고, 학생들에겐 온 법계가 학교요, 보고 듣고 느끼는 그대로가 공부이도록 해주겠다. 스님, 신부, 목사 등 성직자들에겐, 스님 껍데기, 신부·목사 껍데기를 시원하게 벗겨 주어, 발가벗고 다니는 것이 편하도록 해주겠다.

나를 국회의원으로 뽑아 준다면, 곳곳마다 청정수가 솟아, 마시기만 해도 만병이 사라지고 모두가 젊고 건강해지는 우물을 파 주겠다.

이 공약이 약하면 김씨 이씨 박씨 무슨 씨 무슨 씨를 모두 다 반죽하여 단군씨를 만들어 주고, 무슨 학교 무슨 동 무슨 리도 몽땅 하나로 만들어 주겠다. 백인 흑인 황인이 걸리면, 모두 껍질을 홀랑홀랑 벗기어서 똑같이 만들어 주겠다.

이래도 나를 안 찍어 준다면, 내 마지막 카드인 유권자 여러분을 영원히 죽지 않게 해주겠다. 그래도 나를 안 찍어 준다면, 그것은 유권자들의 자유다!

놀고 먹는 죄

강원도 골짜기! 주막집 아낙의 기둥서방 노릇을 하며 살아 가는 김서방이 있었다. 하는 일 없이 빈둥거리며, 마누라가 집어 주는 몇 푼으로 노름도 하고, 계집질도 하며, 놀고 먹는 자신이 세상에서 제일 좋은 팔자라고 뻐기고 다녔다.

그러나 인간은 세상에 나오는 날부터 늙고 병들고 죽어 가기 마련. 팔자 좋던 김서방도 죽어 염라대왕 앞에 가게 되는데, 네 죄를 알겠느냐는 염라대왕의 물음에 대답이 걸작이었다.

「대왕님! 저는 세상에 살면서 죄라는 죄자도 구경을 못했습니다. 나약한 마누라를 다른 사내놈들이 찝적거리면 도와주고, 마누라 뒷바라지 하며 마누라가 주는 돈도 배고픈 친구 밥 사주고 술 사주고 남으면, 부처님께 불전도 올리고 착한 일만 골라서 하다 왔습니다.」

그러자, 염라대왕이 호통치며 말했다.

「이놈아! 세상에서 용서받지 못할 죄가 뭔지나 아느냐? 살인자도 도둑질한 자도 그 과보가 다하면, 용서받을 수 있지만 아무것도 하지 않고 무위도식하는 게으른 죄는, 영원히 용서받지 못하느니라! 일직사자! 월직사자들아! 저놈이 놀고 먹은 죄가 어떤 죄인지 깨닫게 하라!」

사자들에게 네 다리가 들리어 어딘가에 던져진 김서방은 한참 만에 눈을 뜨고 보니, 다리 아래 개들이 옹기종기 모여 있는 곳이었다.

「이럴 수가!」

자신도 강아지 몸뚱이로 어미개의 젖을 빨고 있는 것이 아닌가! 며칠이 지나자 주인 없는 들개들은 제각기 흩어지고, 비루먹은 몇 마리 강아지만 남게 되었다.

다리 아래 떨어지는 달빛 속에 김서방 아니, 김강아지는 참으로 기가 막혀 신세 한탄을 하고 있는데, 웬 늙은 거렁뱅이가 다리 밑으로 기어 들더니 작대기를 휘둘러 강아지들을 쫓아 내고 자리를 차지하는 것이었다.

화가 난 김서방(강아지) 아무리 말을 해도 개소리밖에 안 나오니 기막힌 노릇이었다.

그런데 늙은 거지가 「야! 요놈 쓸 만하겠다」며 가까이 부르더니 여러 가지 재주를 가르쳐 주는데, 김서방 아니 김강아지로선 식은 죽 먹기였다.

비록 몸뚱이는 강아지지만 생각은 사람이니, 기막힌 재주꾼이 되었다. 늙은 거지와 합작으로 시장판에 나가서 재주부리고 벌어들이는 돈이 수월찮았으니, 그때부터 김서방, 아니 김강아지는 호의호식하게 된다. 맛있는 고기덩이에 따뜻한 잠자리, 거기다 거렁뱅이의 총애를 받으며 사는 삶이 전생 인간으로 살 때보다 못하지 않은 것 같았다.

그러나 배가 부르니 다른 생각이 자꾸 나게 된다. 하루는 다리 밑에 누워 이 생각 저 생각을 하고 있는데, 다리 위를 기막히게 예쁜 암강아지가 지나 가고 있었다. 벌떡 일어난 김강아지는 암강아지의 뒤를 쫓아 따라간다. 따라가면서도 이게 아닌데, 이게 아닌데, 나는 사람인데, 암캐 뒤를 따라가다니……

그러나 생각과는 달리, 도망가는 암캐의 뒤를 죽어라고 쫓아간다.

암캐가 어느 집 개구멍으로 들어가자 역시 따라 들어갔지만 나올 때는 온몸이 성한 데 없이 상처투성이가 되었으니, 집안에는 암캐의 신랑인, 세파트와 불독이 두 마리나 있을 줄을 김강아지가 알 리 있었겠는가!

찔뚝이며 돌아오는 김강아지, 아니 김서방은 기가 막혔다. 비록 몸뚱이는 개새끼이지만 생각은 사람이 아니던가! 이 무슨 추하고 해괴한 꼴인가! 이렇게 사는 것보다 죽는 것이 낫지 않겠는가! 결국 김강아지는 다리에서 떨어져 자살을 하고 만다.

또 염라대왕 앞에 올 수밖에. 그에게 염라대왕이 호통치며 말한다.

「이놈이 혼날 짓은 골라서 하는 놈이구나. 일 안 하고 놀고 먹는 죄, 다음으로 무서운 죄가 자살하는 죄인 줄을 몰랐던가. 이놈에게 더 무서운 벌을 내려라!」

또 사자들에 의해 던져진 그가 눈을 떠보니 이번에는 마굿간이었다. 자신의 아랫도리를 내려다 보니 다리가 네 개 달린 망아지였으니, 기가 찰 노릇이었다.

「좋다, 강아지 노릇도 했는데 망아지 노릇 못 하겠는가.」

역시 몸은 망아지지만 생각은 인간이니 얼마나 영특하겠는가. 또 주인의 사랑을 얻게 되고, 장군인 주인이 싸움터에 공을 세우는데 일익을 담당하니, 그 대접이야 말할 수 없었다.

「뭐; 인간살이보다 나으면 나았지, 말[馬]로 살아 가는 것도 괜찮구나!」

그런데 김서방으로 살던 생각이 차츰 흐려지고, 진짜 말로 변해 가는 자신이 문득문득 두렵기 시작했다.

인간사뿐만 아니라, 말이 사는 세상도 똑같이 양지와 음지가 있었으니, 싸움터에 나갔던 장군이 전사를 하게 되고, 그 집안은 몰락하여 풍지박산이 되고 만다.

이 김말(김서방)은 못 사는 장군의 친척 집으로 끌려 가서 거친 음식에다 죽을 지경까지 일을 하니, 정말 말 그대로 죽을 지경이었다.

어느 날도 수레에 짐을 가득 싣고 고개를 올라가는데, 도저히 힘이 없어 발을 떼어 놓을 수가 없었다. 그런데도 주인은 안 올라간다고 채찍으로 후려치니 김말, 아니 김서방은 제정신이 들며, 「오냐 때려라! 맞아 죽으면 이 고생도 끝이 아니겠는가, 맞아 죽으면 자살도 아니니 이보다 더한 벌이야 받겠는가. 때려라 이 주인놈아! 어서 때려라」하며 대들었다.

주인은 진짜 화가 나서 말의 머리를 내려치니 김말(김서방)은 또 죽고 만다.

그래서 그는 또다시 염라대왕 앞에 올 수밖에.

「사자들아! 저놈이 아직도 정신을 못 차리고 대왕을 기만하려 하였으니, 더 뜨거운 맛을 보여 주어라!」

말 한 마디 못하고 어딘가에 던져진 김서방은 컴컴하고 좁은 굴을 정신없이 헤쳐 나와 보니 시원한 풀밭이었다. 휘휘 둘러보다 옆을 보니, 징그러운 큰 구렁이가 있지 아니한가. 걸음아 나 살려라! 도망가고 도망가다 다시 뒤를 보니, 그래도 쫓아온다.

정신이 김서방으로 돌아온 김뱀은 이놈의 뱀을 가만 두지 않겠다며 주위를 둘러보다, 그만 까무러치고 만다.

결국 그 뱀이 자신의 몸뚱이었던 것이다. 이제는 김서방이었던 생각도 가물가물, 그저 뱀의 본능에 개구리를 잡아먹고 두더지를 잡아먹는 징그러운 구렁이가 되었다.

그런데 어느 날, 어디선가 많이 듣던 소리가 들린다. 아! 내 김서방 시절에 절에서 들었던 범종 소리다.

소리따라 기어 가니 목탁 소리·법고 소리·염불 소리가 악심을 놓게 하고, 뉘우침의 눈물을 주게 하니, 김뱀(김서방)은 그 소리를 잊지 않으려 그곳을 떠나지 않는다.

살생하는 대신 아침 이슬을 따먹고, 절에서 나오는 저녁 연기내음을 맡으며, 염불 소리·독경 소리를 듣고 살다가 제 수명을 마치게 된다.

김서방은 다시 좋은 과보를 얻어 부지런히 사는 중생이 되었다 하니 놀고 먹는 무위도식의 과보가 얼마나 무서운 업인가를 알게 하는 이야기이다.

전법에 목숨바친
부처님과 그의 제자들

불교는 부처의 전법으로부터 시작된다. 법을 전하겠다는 전법포교의 원이 부처님께 없었다면, 그리고 평생을 이 나라 저 나라를 누비다, 길가에서 돌아가신 그분의 자비로운 희생이 없었다면, 부처님의 깨달음이 무슨 의미가 있었을까?

포교를 경시하는 풍조가 이조 오백 년의 산속 불교와 선불교의 잘못된 영향만으로 돌리기엔 문제가 있겠으나, 포교가 바로 수행이란 부처님 말씀은 어디로 실종이 되었는가?

「수행자들아! 이제 전법의 길을 떠나자! 중생의 성숙과 이익을 위해! 두 사람이 한 곳으로 가지 말라! 전법의 공덕이 반감되리니……」

불교의 역사는 이렇게 포교로 시작되어 포교로 이어져 가고 있다.

「포교 좀 하십시다! 내 자신도 추스리지 못하는 주제에 어찌 남에게 포교를 합니까?」

겸손하고 옳은 말인 것 같으나, 그 말은 분명 근본부터가 잘못된 말임을 우리는 알아야 한다.

자신 속에 들어 있는 자성중생(自性衆生)을 건지겠다는 원을 낸 사람이 결코 이웃 중생을 외면하지 못하며, 자신의 번뇌를 끊고자 맹세한 사람 또한 번뇌하는 이웃을 결코 몰라라 하지 못하는 것이 인지상정이다.

이웃의 아픔을 이해 못 하고 외로운 이웃을 생각할 수 없다면, 수행을 하여 무엇에 쓰겠단 말인가? 수행이 전법이요 전법이 수행이라는 부처님 말씀이, 우리 수행자들에게 제일의 명제임을 알았으면 한다.

부처님은 깨달으신 뒤 누구에게 먼저 깨달으신 법을 전할 것인가 생각하게 된다. 니련선하 강가에서 함께 수행하던 「교진여」 등 다섯 명의 벗이 생각난다.

수행을 하면서 억지고행은 육신만을 괴롭힐 뿐 깨달음에는 도움이 되지 않음을 알고, 중도(中道)의 길을 택하였을 때, 싯다르타는 수행을 포기한 사람이라며 녹야원으로 떠나 버렸던 그 사람들!

싯다르타가 부처되어 자신들에게 온다는 소문을 듣고, 만나더라도 결코 경배하지 말자고 약속을 한다. 그러나 다가오는 부처님의 모습은 옛모습이 아니었다. 얼굴에는 빛이 나고 그 위엄과 인자함은 그들을 압도했다. 자신들도 모르게 발우를 받아 들고, 발 씻을 물을 떠올리며 공경례를 하였다.

다섯 사람에게 처음으로 법을 설하는 초전법륜(初轉法輪)이 시작된다.

「신체를 괴롭히는 고행만으로 깨달음을 얻을 수는 없다. 그렇다고 쾌락에 빠져서도 아니 되니 양 극단을 떠난 중도(中道)의 수행법을 써라! 우마차가 가지 않을 때는 마차에 채찍을 가해서는 아니 되고, 바로 말을 쳐야 하는 이치와 같느니라!

수행이란 너무 느슨해서도 아니 되며, 너무 팽팽해서도 아니 되니 알맞은 거문고줄과 같게 해야 하느니라! 그것이 중도의 수행법이니라! 중도란 무엇인가? 도에 이르는 여덟 가지 성스러운 길을 말함이다.

바른 견해(正見 : 세상을 바로 보는 가치관)

바른 관찰(正思惟 : 바른 가치관으로 세상을 관찰하고 생각하는 것)

바른 말(正語 : 생각만이 아니라 말 역시 바르게 하는 것)

바른 행위(正業 : 말만이 아니라 행동 역시 바르게 하는 것)

바른 생활(正命 : 행동뿐 아니라 취미나 직업 등 바른 생활)

바른 노력(正精進 : 전술한 것들을 바르게 열심히 노력하는 것)

바른 집중(正念 : 앞의 모든 것을 바르게 집중하는 것)

바른 안정(正定 : 흔들림없이 통일된 마음으로 바르게 안정하는 것)

이 여덟 가지가 팔정중도(八定中道)이니라. 친구들이여! 삶은 고통[苦]이니 집착[集] 때문에 생기며, 이 집착을 멸(滅)하기 위해 팔정중도를 닦으면 도(道)에 이르느니라! 하여 고집멸도(苦集滅道)를 네 가지의 성스러운 진리 사성체(四聖諦)라 부르느니라!」

밤새워 묻고 대답하는 치열한 구도의 열기 속에 동이 터오르듯, 교진여를 비롯 다섯 사람에게 지혜의 빛이 밝혀지니, 아라한(깨달은 성자의 지위)과를 얻게 된다.

다섯 사람은 삭발하고 부처의 제자가 되니 최초의 비구(불교의 출가 스님)가 된다.

먼길을 가는 사람이 수레[輪]를 타듯, 깨달음으로 향하는 불자들은 이 법바퀴[法輪]에 의지하게 되니, 처음으로 굴려지는 법바퀴[初轉法輪]는 이렇게 시작됐다.

부처님은 이어서 고뇌하는 청년 「야사」를 귀의시키고 그의 부모와 권속 등 54명을 제자로 맞아들인다. 여기서 승가(수행 집단)가 형성되고 야사의 아버지는 최초의 우바새(남자 신도)가 되며 어머니는 최초의 우바니(여자 신도)가 된다.

부처님은 전도의 여행을 그치지 않고, 일행과 함께 녹야원을 떠나 우루벨라 촌으로 가게 된다. 우루벨라에는 이 지방 배화교의 최고 지도자 우루벨라가섭이, 오백여 명의 제자들을 거느리고 커다란 교단을 형성하고 있었다.

나이가 백이십 세가 넘었고, 수행 또한 깊어 존경을 받고 있었으며, 그의 동생 두 명 역시 근처에서 수백 명 제자들을 거느리고 최대의 종교 집단을 이루고 있었다.

부처님은 먼저 우두머리인 우루벨라가섭에게 가서, 하루저녁 묵을 것을 청한다. 그것도 그들이 신성시하고, 불의 화기(火氣) 때문에 들어가지 못하는 화당(火堂)에 들어갈 것을.

화당에는 화룡(火龍)이 있어 들어가면 죽는다고 경고하나, 부처님은 화당에서 무사히 하루를 지내고 화룡을 항복받고 나오게 된다.

이때에 부처님이 우루벨라가섭과 겨룬 신통이, 삼천오백 가지였다고 전하는데, 부처님 일생에 이렇게 많은 신통을 다시 보이신 일은 없다.

결국 그 지방 최고의 종교 지도자인, 배화교의 수장이 부처님께 귀의하고 만다. 그의 두 동생도 부처님 위덕에 감복하여 귀의하였고, 제자들 천여 명도 모두 함께 귀의하게 된다.

그렇다면 백이십 세가 넘는 최대 교단의 최고 지도자가, 이교도이며 젊은 석가에게 귀의하게 된 근본 원인이 무엇이었을까?

여기서 우리는 석가 부처의 위대함을 발견하고, 진리를 찾고저 하는 이들의 아름다움을 발견할 수 있게 된다. 권위도 위신도 체면도 헌신짝처럼 버리고, 참된 진리를 위해 깨달은 자(부처)에게 귀의한 세 명의 가섭과, 천여 명의 제자들, 그리고 부처님께 나 또한 귀의할 수밖에…….

그 뒤 또 목련존자와 사리불존자가 이백여 명의 제자들을 이끌고 귀의하여 천이백오십 여인의 아라한이 되었다. 모두 이교도인들을 감화시켜 제자를 삼으니, 인도의 기존 종교 사회에선 기적 같은 일일 수밖에 없었으며, 명실상부한 최대의 종교 집단으로 부상된다.

부처님이 그러하셨듯이 부처님의 제자들 역시 방방곡곡에서 전법을 하다 순교를 하게 된다. 그중에서 부처님의 십대 제자 중 설법제

일인 부루나라는 스님이 계셨는데, 스님이 외국 나라로 전법을 하러 떠날 것을 부처님께 청하게 된다.

그러자 부처님은 말씀하셨다.

「부루나야! 그 나라 사람들은 난폭하고 거칠다는데 너에게 욕설을 하면 어찌하겠느냐?」

「부처님! 저는 이렇게 생각하겠습니다. 그들이 착하여 나를 주먹으로 때리지 않는구나!」

「부루나야! 만약 주먹으로 때리면 어쩌겠느냐?」

「그러면 몽둥이로 때리지 않음을 고맙게 여기겠습니다.」

「그럼 부루나야! 몽둥이로 때리면은 어찌하겠느냐?」

「예! 칼로 찌르지 않음을 감사히 여기겠습니다.」

「칼로 찌르면 어찌하겠느냐?」

「부처님! 저는 이렇게 생각하겠습니다. 수행자는 마땅히 한 가지 법을 구하기 위하여서도 몸을 버리는데, 그들의 은덕으로 육신의 속박에서 벗어나 대해탈을 이룬다고 생각하겠습니다.」

「선재 선재로다! 착하고 착하도다! 부루나여! 너는 잘 수행하여 인욕과 자제의 힘을 얻었구나! 가거라! 가서 정법을 심고, 미한중생들을 제도하여 화합의 나라! 자비의 나라를 만들도록 하여라!」

부처님 법을 전함은 어떤 종교나 종파의 전법을 초월한, 그 이상의 것이며 자신과의 끝없는 싸움이며 수행이고, 인욕과 지혜, 보시와 정진이며, 바로 인간 성숙의 보살행임을 포교 일선에서 뼈저리게 느끼게 된다.

수행의 길은 산속을 향하여 가는 길이 아니라, 험하고 사나운 인간들 속으로 들어가는 것이라고 외치던, 어느 법사의 소리가 더욱 가슴을 파고 든다.

또 한 분의 순교자이며 오지의 포교사였던 광설제일(廣說第一) 가전연! 중인도 서쪽의 시골 벽지에서 포교를 하고 있을 때의 일인데, 그에게는 「소나」라는 어린 시자가 있었다. 출가시켜 계를 받게 하려

하였으나, 증명해 줄 열 명의 장로비구가 없었다. 벽지 시골에서 어찌 삼사칠증의 장로 열 명을 구하겠는가?

삼사칠증(三師七證)이란 세 명의 스승을 삼사(三師)라 하고 칠증(七證)은 일곱 명의 증명법사를 말함이니 「소나」가 삼 년을 넘어서야 겨우 계를 받을 수 있었음도 그때는 행운이었으리라!

외국 포교를 하며 어린아이들이나, 죽어 가는 병자들, 꼭 계를 받고 싶어하는 이들에게, 삼사칠증의 대덕스님을 모실 수 없어, 삼사칠증 노릇을 혼자 다해야 하는 이 승려에겐 가슴에 와 닿는 이야기이기도 하다.

가전연의 시자 「소나」가 부처님을 뵈러 가게 된다.

가전연은 부처님에게 몇 가지 허락을 받아오도록 소나에게 지시를 한다. 첫째는 계를 줄 수 있는 장로비구의 수를 줄여 주실 것, 둘째 이 나라 땅은 거칠고 딱딱하여 한 겹의 신발로 생활하기 어려우니 여러 겹의 신발을 신도록 하여 주실 것, 셋째 이 나라는 목욕을 자주 하여 몸을 깨끗이 하는 풍습이 있으니 따르게 해 주실 것, 넷째 여기는 짐승의 가죽을 깔개로 쓰고 생활하니 역시 풍습대로 따르게 해 주실 것, 다섯째 이곳에서는 다른 나라로 가는 친구에게 옷을 주는 풍습이 있으니 그것도 허락을 해 주실 것 등을 청하게 된다.

부처님은 모두 쾌히 승락하시며, 「뗏목은 강을 건느는데 필요한 것이요, 그물은 고기를 잡는데 필요한 것이다. 계율이 계율을 위한 계율이 되어서는 아니 되느니라」고 제자들에게 말씀하셨다.

그 나라 풍습을 존중하고 따르되, 부처님의 근본 가르침을 훼손치 않도록 가르치셨던 부처님의 자비 지혜와 가전연의 오지 포교에 박수를 보내고 싶다.

이교도인들은 자신의 재산과 생명까지 바치면서 외국 포교를 하는데, 우리 불교도들은 생명을 바쳐 전법 포교하다, 순교한 선현들의 이름조차 모르는 것 같아 비애 아닌 비애를 느낀다.

부처님 제자 중 소나콜리비아라는 사람이 있었다.

부유한 집안에 너무 곱게 자라, 발바닥이 누구보다 얇았던 그는, 모진 고행 속에 언제나 발은 피범벅이가 되었다. 부처님이 보시고서 한 겹의 신발이라도 신기를 권하였지만,「부모 형제와 억만금의 재산을 버린 제가, 이것을 이기지 못하고 한 켤레의 신발을 구한다면, 한 겹의 신발을 구하기 위하여 수행한 결과밖에 더 되겠습니까? 신발을 신지 않겠습니다」라고 대답했다.

자비하신 부처님께서는 모두에게 신발을 신게 하시니, 결국 소나 콜리비아 때문에, 신발을 신지 못하던 수행자들이 그때부터 한 겹의 신발을 신게 되었던 것이다. 한 번쯤 생각해 보고픈 수행자이다.

부처님의 법을 듣다 졸은 아냐율에게 부처님이 말씀하셨다.

「왕좌도 버리고 나온 네가, 잠을 구하러 이곳에 왔단 말이냐? 잠을 구하려거든 집에 돌아가서, 마음껏 자도록 하려무나.」

부처님의 꾸지람에 잠을 자지 않고 용맹정진하여 비록 육신의 눈은 멀었어도 천안을 얻은 천안 제일 아냐율존자!

공(空)의 이치를 깨달아서 생사를 초월한, 그 초월을 넘어 생사 속에 자재했던 해공제일(解空第一) 수보리!

반야부 경전 속에 부처님과 공의 도리를 나누며, 모든 이치를 알면서도 제자다운 모습으로 남들을 위해,「부처님이시여! 모르겠나이다 설명하여 주옵소서」라고 말하던 그의 따스함이 가슴에 전해오는 듯하다.

부처님의 이복동생 난타, 아들 라훌라 부처님의 이모 그리고 아내, 법을 이어온 수많은 제자들! 모두가 대도를 이루어 어두운 세상을 밝히다 가신 님들이시기에, 엎드려 경배하며 이 글을 마친다.

석용산

충청남도에서 출생. 팔공산 파계사에서 득도. 10년
지장기도 성취. 현 대구 불교교육회관 공덕원 원장, 부
산 불교교육회관 지장원 원장, 대구 불교문화원 원장,
미국 버지니아·뉴욕 불교선양회 회주, 인도네시아
불교교육원 원장.

저서로는 시집 《나의 사랑 나의 방황 나의 종교
1·2》《천년에 한 번 우는 새》《해꽃처럼 눈부시고
물꽃처럼 영롱한》이 있다.

여보게, 저승갈 때 뭘 가지고 가지

1992년 10월 10일 초판 1쇄 발행
1993년 2월 1일 초판 13쇄 발행

저 자 석 용 산
발 행 인 김 낙 천

우 1 1 0 - 3 1 0 서울 · 종로구 경운동 70번지
대체구좌 011965-31-0557181
영업부 (353) 6441~3
발행처/고 려 원
편집부 (739) 7741~3
출판등록 1978. 5. 25 제1-19호

편집장 · 장성규 /편집 · 김혜수 · 최의선 /장정 · 김경애 · 윤윤희

값 4,800원

* 파본이나 인지가 없는 책은 교환해 드립니다.